¡Conversemos!

¡Conversemos!

SECOND EDITION

◆ *Ana C. Jarvis*
Chandler-Gilbert Community College

◆ *Raquel Lebredo*
California Baptist University

HOUGHTON MIFFLIN COMPANY
BOSTON   NEW YORK

Director, Modern Language Programs: E. Kristina Baer
Development Manager: Beth Kramer
Assistant Editor: Rafael Burgos-Mirabal
Editorial Assistant: Lydia Mehegan
Project Editor: Julie Lane
Editorial Assistant: Jennifer O'Neill
Senior Production/Design Coordinator: Jennifer Waddell
Manufacturing Manager: Florence Cadran
Marketing Manager: Patricia Fossi

Cover Design and Illustration: Harold Burch Design, NYC.

Printed in the U.S.A.

Library of Congress Catalog Card Number: 98-72049

ISBN: 0-395-90954-6

4 5 6 7 8 9-HAM-02 01 00 99

CONTENTS

P R E F A C E

¡Conversemos!, Second Edition, offers an array of lively, communicative pair and small-group activities specifically designed to develop speaking and listening skills and to facilitate student interaction in intermediate Spanish courses. Topically organized and written entirely in accessible Spanish, *¡Conversemos!* motivates students to use language creatively through engaging, student-centered role-plays, conversation starters, problem-solving tasks, and content-based activities. Throughout, students practice key language functions such as persuading, obtaining information, responding to requests, expressing preferences, and giving commands. Numerous authentic documents, photographs, illustrations, and readings throughout the text provide points of departure for discussion, debate, and cross-cultural comparison. Recordings on the Student Cassette help students to develop listening skills.

Correlated thematically to the lesson topics in *¡Continuemos!*, Sixth Edition, *¡Conversemos!* may also be used as a supplement to any intermediate text, or as the core text in a conversation course. The following features allow instructors to maximize opportunities for building students' oral communication skills in the classroom:

- *¡Conversemos!* gives instructors the flexibility required for effective management of class time. Many of the activities are divided into **Pasos**, making it possible to choose the tasks most suited to students' interests and abilities.
- Personalized activities stimulate meaningful communication as students apply their own experiences to real-life situations.
- Collaborative learning tasks, such as designing an advertisement or writing a biography of a classmate, enable weaker students to benefit from working with more able peers.

New to the Second Edition

- The activities were revised to correlate better with the grammar presented in *¡Continuemos!*, Sixth Edition.
- Two new pair activities were added to every lesson to increase personal and meaningful communication among classmates, and to revisit the topics and vocabulary of the entire lesson in a contextualized and highly interactive way.

Text Organization

¡Conversemos! contains twelve lessons centered on practical, high-interest topics such as student life, travel, health, and recreation. Each lesson contains the following sections:

En grupos

This section provides a smorgasbord of eight to ten extended, interactive activities related to the lesson theme. Eclectic in format, these activities encourage resourceful communication in Spanish by emphasizing the use of creativity, critical-thinking skills, and key communication strategies. Realistic role-plays develop students' awareness of the various levels of address appropriate to different types of situations, for example, a job interview, a dinner party with strangers, or a discussion between two roommates who need to establish a household budget. Realia- and reading-based activities have students extract and use information from advertisements, interviews, and other authentic texts to make cross-cultural comparisons, exchange impressions and opinions with their classmates, or act out a hypothetical situation. Illustrations and photographs reinforce thematic vocabulary in context and call upon students to describe, interpret, make conjectures, and create story lines based on the images presented. Questionnaires, quizzes, and games also enliven the classroom. **Para conocernos mejor** is the last activity of **En grupos.** Set up as an interview, this activity is designed to encourage interaction in pairs. Students ask each other personalized questions about topics and issues related to the lesson's theme.

Dichos y refranes

This unique section promotes greater cultural and linguistic understanding by introducing thematically related popular sayings and proverbs in context. Students are challenged to brainstorm situations in which each **dicho** or **refrán** could be used. Translations are provided in an appendix.

Y ahora… ¡escucha!

Designed for use with the Student Cassette, this activity develops students' listening and writing skills as they note key information based on what they hear in realistic simulations of radio advertisements, announcements, newscasts, and other types of authentic input.

Vocabulary

Vocabulario clave lists terms students will encounter in the activities, organized by parts of speech. **Para hablar de…** provides thematic groupings of words and expressions that will help students to expand on the lesson topics. The Spanish-English vocabulary includes all terms introduced in the vocabulary lists and glossed in the activities.

End-of-Lesson Activity

This wrap-up activity is designed to bring together the topics and the vocabulary introduced and used throughout the lesson. Set up as an activity to be done in pairs, it is designed to promote high interaction and participation.

Student Cassette

The Student Cassette contains the twelve listening passages correlated to the **Y ahora... ¡escucha!** sections in the textbook. Recorded by native speakers, these listening passages increase students' exposure to natural spoken Spanish, while reinforcing the lesson themes. The tape and its accompanying activities may be used in class or assigned as homework to develop students' listening and writing skills.

Tapescript

A complete, printed tapescript of the recordings on the Student Cassette is available.

Acknowledgments

We would like to thank the following colleagues for their insightful comments and suggestions regarding the First Edition and the preparation of the Second Edition:

Deborah K. Baldini, *University of Missouri at St. Louis*

Mayra Besosa, *Mira Costa College*

George Bombel, *Brigadier General U.S. Army (Whitworth College)*

Dr. Duane F. Bunker, *Palm Beach Atlantic College*

Robert M. Fedorchek, *Fairfield University*

Tia Huggins, *Iowa State University*

We also extend our sincere appreciation to the Modern Languages staff of Houghton Mifflin Company, College Division: Kristina Baer, Director, Modern Languages Program; Beth Kramer, Development Manager; Rafael Burgos-Mirabal, Assistant Editor; Lydia Mehegan, Editorial Assistant; as well as Julie Lane, Project Editor; Jennifer O'Neill, Editorial Assistant; Jennifer Waddell, Senior Production/Design Coordinator; Florence Cadran, Manufacturing Manager; and Patricia Fossi, Marketing Manager.

Ana C. Jarvis
Raquel Lebredo

LECCIÓN I

◆ *Presentaciones*

◆ *Obligaciones de profesores y estudiantes*

◆ *Hábitos de estudio*

◆ *Características de los profesores*

◆ *La matrícula*

◆ *Servicios estudiantiles*

◆ *Para orientarse en el campus*

◆ *Para conocernos mejor*

Nosotros los estudiantes

Estudiantes de la Universidad de Costa Rica, en San José.

En grupos

Actividad 1: ¡Mucho gusto!

Paso 1

Termina las siguientes oraciones para poder presentarte a tus compañeros de clase.

Me llamo...

Soy de...

Mi especialización es...

Estoy estudiando español porque...

Otras clases que estoy tomando son...

Espero graduarme en el año...

Mi meta profesional es...

Paso 2

Ahora reúnete con dos compañeros(as) para presentarse unos a otros, dándose esta información. Después, hazles otras preguntas a tus nuevos(as) amigos(as), para tratar de conocerlos(las) mejor.

Paso 3

Decidan cuál de Uds. va a presentar a los tres al resto de la clase.

> MODELO: Permítanme presentarme. Me llamo _____ y soy de _____.
> Ahora les presento a _____, que es de _____ y a _____, que es de _____.

Actividad 2: ¿Quién enseña esta clase?

Para llegar a conocer mejor a tu profesor(a), prepara con un(a) compañero(a) una lista de cinco preguntas para hacérselas a él (ella).

Actividad 3: Nos comprometemos a...

Paso 1

Lee el siguiente documento que una profesora de español preparó para sus estudiantes. Léelo cuidadosamente y coméntalo con un(a) compañero(a). ¿Les parece una buena idea? ¿Por qué sí o por qué no?

Yo, la profesora, me comprometo a:

1. Estar en mi oficina todos los días de diez a once de la mañana, para ayudarlos en todo lo posible. Si estas horas de oficina no les convienen, pueden llamarme para hacer otro tipo de arreglo.
2. Preparar mis clases de antemano, y presentarles el material de una manera lógica y ordenada.
3. Decirles exactamente lo que espero de Uds. y cuál es mi sistema para determinar sus notas.
4. Proveer el ambiente adecuado para que Uds. puedan expresar sus opiniones libremente, y participar en la clase.
5. Hacer todo lo posible para que su experiencia educativa en este curso sea valiosa.

Paso 2

Ahora preparen Uds. un documento indicando a qué se comprometen Uds. como estudiantes en esta clase. ¡No prometan nada que no piensen cumplir!

Nosotros, los estudiantes, nos comprometemos a:

_____

_____

_____

_____

_____

_____

_____

_____

_____

_____

_____

_____

Paso 3

Comparen su documento con el de otro grupo. ¿En qué se parecen? ¿Qué diferencias hay?

Actividad 4: Tus hábitos de estudio, ¿son buenos o malos?

Paso 1

Completa el siguiente cuestionario para evaluar tus hábitos de estudio.

Sí   No

- ☐ ☐ 1. Los apuntes que tomo en clase siempre están bien organizados.
- ☐ ☐ 2. Nunca falto a clase innecesariamente.
- ☐ ☐ 3. Estudio por lo menos tres horas todos los días.
- ☐ ☐ 4. Siempre hago la tarea.
- ☐ ☐ 5. Participo activamente en clase.
- ☐ ☐ 6. Repaso mis apuntes frecuentemente y los comparo con el material del libro.
- ☐ ☐ 7. Antes de ir a clase, leo el capítulo que vamos a estudiar.
- ☐ ☐ 8. Mis apuntes incluyen diagramas, gráficos y otros datos que el (la) profesor(a) escribe en la pizarra.
- ☐ ☐ 9. No tomo apuntes en clase porque creo que es mejor escuchar atentamente y después estudiar con el libro.
- ☐ ☐ 10. Siempre le presto atención al (a la) profesor(a).
- ☐ ☐ 11. Si tengo que faltar a clase, hablo con un(a) compañero(a) para saber qué explicó el (la) profesor(a).
- ☐ ☐ 12. Cuando no entiendo algo, siempre le pido una aclaración al (a la) profesor(a).

Paso 2

Ahora intercambia (*exchange*) tu cuestionario con un(a) compañero(a) de clase. Lee sus respuestas y prepárate para hacer el papel (*role*) de su consejero(a) académico(a). Representa una escena en la que tú comentas sus hábitos de estudio y le haces sugerencias para mejorarlos. Por ejemplo, si la respuesta a la pregunta número 3 es negativa, puedes aconsejarle lo siguiente: "Por cada hora que pasas en clase, debes pasar dos horas estudiando." Al terminar, Uds. deben cambiar de papel.

Actividad 5: El profesor o la profesora ideal

Paso 1

En grupos de tres o cuatro estudiantes hagan una lista de las diez cualidades que, según Uds., caracterizan al (a la) profesor(a) ideal.

_____

_____

_____

_____

_____

_____

_____

_____

_____

_____

Paso 2

Ahora cada grupo escribirá su lista en la pizarra. La clase escogerá diez cualidades y las colocará en orden de importancia.

Actividad 6: Día de matrícula

Tú y un(a) compañero(a) trabajan en la Oficina del Secretario General (*Registrar*) de la universidad. Hoy es el primer día del semestre y varios estudiantes que tienen problemas los (las) esperan en la oficina. Usen la información en la página siguiente para decirle a cada estudiante lo que debe hacer.

Universidad Central
Información sobre la matrícula

Horario de clases
Los estudiantes deben revisar bien su horario de clases. Si hay algún error, deben notificárselo inmediatamente a la Oficina del Secretario General.

Cancelación de clases
Una clase se puede cancelar si no tiene un mínimo de diez estudiantes. En este caso, los estudiantes matriculados reciben un reembolso del 100 por ciento.

Unidades
Los estudiantes que desean tomar más de 18 unidades deben tener la aprobación de la Administración antes de matricularse.

Asistencia a clase
1. La asistencia a clase es obligatoria. Los estudiantes que tienen que faltar a clase deben notificárselo al (a la) profesor(a).
2. Si un(a) estudiante no asiste a clase el primer día, el (la) profesor(a) puede darlo (darla) de baja.

Procedimiento para darse de baja
Los estudiantes que no pueden completar el semestre deben darse de baja por escrito o personalmente en la Oficina del Secretario General por lo menos tres semanas antes del fin del semestre. Los estudiantes que no se dan de baja oficialmente reciben una nota de suspenso en todas las clases.

Carnet de estudiante
Todos los estudiantes reciben, el día de la matrícula, un carnet con su nombre, su número de identificación y su foto. En el caso de perder esta tarjeta los estudiantes deben ir a la Oficina de Servicios Estudiantiles.

Pago de matrícula
Se espera el pago de la matrícula antes del primer día de clases. Los estudiantes que necesitan un plan de pago especial deben llenar una solicitud en la Oficina de Administración.

Estudiantes que necesitan ayuda:
1. Rosa Martínez tiene que trabajar ocho horas al día para pagar sus deudas (*debts*) y no puede continuar en la universidad. Las clases terminan el 15 de diciembre y hoy es el 22 de septiembre.
2. Roberto Villaverde tiene que faltar a clase tres días la semana próxima.
3. Marta Ávila está matriculada en la clase de geología y solamente hay tres estudiantes en la clase.

4. Carlos Viera quiere tomar 20 unidades.
5. Arnaldo nota que su apellido está mal escrito en su horario de clases.
6. Olga Carreras no encuentra su tarjeta de identificación.
7. Ernesto Barrios sabe que no va a poder asistir a la universidad los dos primeros días de clases.
8. Felipe Olivera no puede pagar la matrícula hasta finales del mes de noviembre.

Actividad 7: Servicios que ofrece la universidad

1. Ayuda financiera

   Existen tres tipos de ayuda financiera: becas, préstamos y empleos en la universidad. El número de becas es limitado, y los estudiantes que las solicitan deben consultar la lista de requisitos en la Oficina de Ayuda Financiera antes de llenar la solicitud.

2. Servicio de consejeros

   Los estudiantes pueden solicitar ayuda de los consejeros en cuanto a los requisitos para la admisión, la selección de cursos y el planeamiento de su programa de estudios. También se provee información sobre los requisitos necesarios para graduarse.

3. Información vocacional

   Para ayudar a los estudiantes a seleccionar su carrera, la Oficina de Información Vocacional mantiene listas de carreras, oportunidades de empleo e información vocacional.

4. Biblioteca

   La biblioteca provee libros, revistas, periódicos y materiales audiovisuales. Los bibliotecarios pueden ayudar a los estudiantes en su trabajo de investigación académica y darles la información necesaria para todos los cursos ofrecidos por la universidad.

5. Centro infantil

   Mientras los padres asisten a clase, sus hijos pueden asistir al Centro Infantil, que está abierto desde las siete de la mañana hasta las diez de la noche de lunes a jueves y desde las siete de la mañana hasta las cinco de la tarde los viernes. Los padres deben proveer el almuerzo para sus hijos. El centro cobra quince dólares por la inscripción y cinco dólares por hora.

Paso 1

En grupos de tres o cuatro estudiantes, lean cuidadosamente la información acerca de los servicios que ofrece la Universidad Central. Después, compárenlos con los servicios que ofrece la universidad a la cual Uds. asisten. ¿Cuáles utilizan Uds. más frecuentemente? ¿Cuáles no utilizan? ¿Algunos de ellos necesitan mejorarse? ¿Cuáles? ¿Cómo?

Paso 2

Tú y un(a) compañero(a) van a hacer una encuesta (*survey*) sobre la calidad de los servicios que ofrece la universidad. Preparen una lista de 10 ó 12 preguntas para la encuesta. Comparen sus preguntas con las de otro grupo.

Paso 3

Usen sus preguntas para entrevistar a algunos compañeros de clase.

Actividad 8: ¿Qué pasa aquí?

Habla con un(a) compañero(a) de lo que está pasando en el campus de la Universidad Central el primer día de clases. ¿Qué hacen las personas que aparecen en el dibujo? ¿Adónde van? ¿Por qué?

Actividad 9: Para conocernos mejor

En grupos de dos, háganse las siguientes preguntas.

1. ¿Tienes un buen horario este semestre? ¿Cuántas unidades estás tomando?
2. En tus otras clases, ¿es obligatoria la asistencia? ¿Faltas a veces?
3. ¿Vas a completar esta clase o piensas darte de baja?
4. ¿Hablas con tu consejero(a) antes de matricularte? ¿Por qué sí o por qué no?
5. ¿Tomas buenos apuntes en clase? ¿Los repasas frecuentemente?
6. ¿Cuántas horas diarias estudias tú?
7. ¿Participas en la clase? ¿Te gusta participar?
8. ¿Tienes que hacer investigación en alguna de tus clases?
9. ¿Sacas buenas notas en tus clases? ¿Qué promedio mantienes?
10. ¿Qué vas a tratar de hacer este semestre?
11. ¿Vas a tener que solicitar un préstamo para pagar la matrícula el próximo semestre? ¿Tienes una beca?
12. ¿Qué cualidad crees tú que es la más importante en un(a) profesor(a)?
13. Cuando tú haces una promesa, ¿la cumples?
14. ¿En qué año esperas graduarte?
15. ¿Piensas obtener una maestría o un doctorado?

Dichos y refranes

Lee los siguientes diálogos en voz alta (*out loud*) con un(a) compañero(a). Traten de averiguar el significado de los dichos en cursiva (*italic*) y de determinar si tienen equivalente en inglés.

1. — ¿Para qué vas a tomar más clases en la universidad? ¡Tú ya tienes un título!
   — Sí, pero quiero aprender otras cosas. *¡El saber no ocupa lugar!*

2. — En mi clase de arte hay varias personas mayores.
   — Es que uno nunca debe dejar de tomar clases ni de leer buenos libros.
   — Es verdad. Tienen razón los que dicen que *la educación empieza en la cuna y termina en la tumba.*

3. — Mi abuelo no ha estudiado mucho y, sin embargo, sabe de todo.
   — Bueno... como dice el refrán, *más sabe el diablo por viejo que por diablo.*

Y ahora... ¡escucha!

Vas a escuchar información sobre un estudiante universitario. Lee lo siguiente antes de escuchar la cinta. Al escucharla, presta atención y trata de anotar los datos más importantes. Si no entiendes algo, escucha la cinta otra vez.

1. Nombres: _____

2. Apellidos: _____

3. Lugar de nacimiento: _____

4. Edad: _____

5. Carrera que estudia: _____

6. Estado civil: _____

7. Dirección: _____

8. Universidad donde estudia: _____

9. Ocupación actual: _____

10. Lugar donde trabaja: _____

11. Número de horas diarias que trabaja: _____

12. Nombre de la madre: _____

    Profesión: _____

13. Nombre del padre: _____

    Profesión: _____

Vocabulario clave

Nombres
la aprobación   approval
los apuntes   (*class*) notes
el arreglo   arrangement
la asistencia   attendance
la beca   scholarship
el (la) bibliotecario(a)   librarian
el carnet, la credencial (*Mex.*)
    identification card
la carrera   career
el centro infantil   early childhood
    center, day-care center
el (la) consejero(a)   adviser, coun-
    selor
el empleo   employment
la especialización   major (*field of
    study*)
el estado civil   marital status
el horario   schedule
la investigación   research
el lugar de nacimiento   place of birth

la matrícula, la inscripción
    registration, tuition
la meta   goal
la nota   grade
el pago   payment
el planeamiento   planning
el préstamo   loan
el procedimiento   procedure
el (la) rector(a)   president of a
    university
el reembolso   refund
el (la) secretario(a) general
    registrar (*of a university*)
la solicitud   application
la tarea   homework
la unidad   academic credit

Verbos
aclarar   to clarify
anotar   to write down
averiguar   to guess; to find out

cobrar   to charge
comprometerse (a)   to agree (to something), to commit oneself
convenir (*conj. like* **venir**)   to be convenient; to suit
cumplir   to keep (*e.g., a promise*); to carry out
faltar   to be absent, to miss (*a class*)
graduarse   to graduate
llenar   to fill out
matricularse, inscribirse   to register (*at a university*)
mejorar   to improve
prometer   to promise
proveer   to provide
repasar   to review
solicitar   to apply
tratar de (*+ inf.*)   to try (*to do something*)

Adjetivos
actual   current
diario(a)   daily
estudiantil   student
financiero(a)   financial
ordenado(a)   orderly
universitario(a)   related to the university
valioso(a)   valuable
vocacional   vocational

Otras palabras y expresiones
cuidadosamente   carefully
dar(se) de baja   to drop (oneself) (*from a class*)
de antemano   beforehand, ahead of time
la nota de suspenso   failing grade
por escrito   in writing
por lo menos   at least
prestar atención   to pay attention

Para hablar de...

Títulos y niveles de estudio
el bachillerato   high-school diploma
el título universitario   college degree
la maestría   master's degree
el doctorado   doctoral degree, Ph.D.

Notas
Sobresaliente   A
Notable   B
Bien   C
Aprobado   D
Suspenso   F

Personas de la universidad
el (la) decano(a)   dean
el (la) director(a) de admisiones   director of admissions
el (la) director(a) de ayuda financiera   financial aid director
el (la) entrenador(a)   trainer, coach
el (la) instructor(a)   instructor, teaching assistant
el profesorado   faculty
el (la) universitario(a)   university student

Cosas que se hacen en la universidad
aprobar (o → ue)   to approve; to pass (*a course*)
copiar   to copy
dejar de (*+ inf.*)   to stop (*doing something*)
especializarse (en)   to major (in)
fotocopiar   to make a photocopy
investigar   to research
mantener (*conj. like* **tener**) **un buen promedio**   to maintain a good G.P.A.
reembolsar   to refund
sacar (una nota)   to get (a grade)

La vida en la universidad

En parejas, conversen sobre lo siguiente usando el vocabulario que se ha presentado en esta lección.

1. los títulos que ya tienen y los que quieren obtener (¿Cuánto tiempo tienen que estudiar en la universidad para lograrlo?)
2. De las personas que trabajan en la universidad, ¿con quiénes tienen que hablar a veces y bajo qué circunstancias? ¿Con quiénes no tienen que hablar y por qué?
3. las clases que Uds. aprueban fácilmente y las clases que son más difíciles para Uds.
4. las notas que sacan y el promedio que mantienen
5. ¿En qué se especializan?
6. las cosas que hacen durante la semana
7. algo que tienen que dejar de hacer

- ✦ Planes de viaje
- ✦ Países latinoamericanos
- ✦ Viajes en avión
- ✦ Horarios de viaje
- ✦ Para conocernos mejor

L E C C I Ó N 2

¡Vamos de viaje!

El Aeropuerto Internacional, en la Ciudad de México, Distrito Federal.

13

En grupos

Actividad 1: Entrevistas

Paso 1

Lee las siguientes entrevistas (*interviews*) que aparecieron en el periódico del Club Panamericano de una universidad norteamericana.

—¿De qué parte de Chile eres tú?
—Soy de Viña del Mar, pero ahora mis padres viven en Santiago.
—¿Los extrañas mucho?
—¡Muchísimo! Y extraño mucho mi ciudad.
—¿Cómo es Viña del Mar?
—Es una ciudad preciosa, con playas magníficas. Es uno de los tres balnearios más famosos de Sudamérica. Allí tiene su residencia de verano el presidente de Chile.

Patricia Villalobos, de Chile

—¿Cuánto tiempo hace que vives en los Estados Unidos?
—Hace quince años.
—¿Eres de La Habana?
—No, yo nací en Santiago de Cuba.
—¿Recuerdas algo de tu país?
—Sí, los carnavales, las playas, los edificios coloniales...
—¿Santiago de Cuba está cerca de La Habana?
—No, está en el otro extremo de la isla.

Alina Rojas, de Cuba

—¿Tú hablas guaraní?
—Sí, porque aunque el idioma oficial de Paraguay es el español, hablamos guaraní con parientes y amigos. Además lo enseñan en las escuelas.
—¿Cómo es el clima de Paraguay?
—Es subtropical; casi nunca hace frío. Paraguay tiene una vegetación exuberante... flores exóticas...
—Dicen que los paraguayos toman mucho mate. ¿Qué es eso?
—Es una especie de té, hecho con yerba mate.

Ana María Sandoval,
de Paraguay

José Luis Vargas, de
Venezuela

—¿Eres de Caracas?
—Sí, soy de la capital.
—¿Cómo es Caracas?
—Es una ciudad muy moderna, con las ventajas (*advantages*) y los problemas propios de las grandes ciudades. Tiene una gran variedad de industrias, especialmente las refinerías de petróleo.
—¿Qué otras ciudades importantes hay en Venezuela?
—Maracaibo, que es el centro principal de la industria petrolera, y Barquisimeto.
—¿No es en Venezuela que están las cataratas más altas del mundo?
—Sí, las cataratas del Ángel.

Rodolfo Peña, de Panamá

—Hay muchos norteamericanos en la zona del canal, ¿verdad?
—Sí, en Panamá se ve mucho la influencia de los Estados Unidos. Claro que hay muchísimas costumbres que son de origen español, indio y africano.
—¿Qué tipo de música se escucha y se baila?
—Bueno, ritmos latinos, especialmente la cumbia, y también el *rock*.

Daniel Montoya,
de Costa Rica

—¿Van muchos turistas a Costa Rica?
—Sí, cada año, más y más personas visitan mi país, principalmente los amantes de la naturaleza.
—¿Es verdad que la educación es muy importante en tu país?
—Sí, en Costa Rica tenemos sólo un diez por ciento de analfabetismo.
—¿Cómo es el nivel de vida?
—Es bastante alto, sobre todo comparándolo con otros países de Latinoamérica. Tenemos una clase media muy numerosa.

Paso 2

¿Qué opinión tienen tú y un(a) compañero(a) sobre lo siguiente? Basen sus respuestas en la información que aparece en las entrevistas.

1. De todos estos chicos, ¿cuáles creen que se van a adaptar fácilmente a la vida en los Estados Unidos? ¿Por qué?
2. ¿Cuál de estos chicos va a recordar cosas de su país al visitar Tejas? ¿Por qué?
3. ¿A quiénes pueden Uds. invitar a visitar Miami o San Diego, seguros(as) de que lo van a pasar muy bien? ¿Por qué?
4. ¿Quién va a recordar su niñez si visita Nueva Orleans durante la época del *Mardi Gras*? ¿Por qué?
5. ¿Para cuál de los estudiantes sería el inglés una tercera lengua?
6. ¿Quién creen Uds. que va a empezar a hacer comparaciones si ve las cataratas del Niágara? ¿Por qué?
7. ¿Cuál de estos chicos tiene, probablemente, más influencia norteamericana? ¿Por qué?
8. Imagínense que cada uno(a) de Uds. puede invitar a uno de estos chicos a pasar un fin de semana en su casa. ¿A quién(es) van a invitar? ¿Por qué? ¿Adónde los (las) van a llevar?

Paso 3

Piensen en diez preguntas adicionales que Uds. quieren hacerles a estos chicos.

1. _____
2. _____
3. _____
4. _____
5. _____
6. _____
7. _____
8. _____
9. _____
10. _____

MÉXICO

GOLFO DE MÉXICO

Ciudad de México ★

La Habana

CUBA

REPÚBLICA DOMINICANA
Santo Domingo

Belmopan
BELIZE
HONDURAS
Tegucigalpa

HAITI

San Juan

GUATEMALA
Guatemala ★
San Salvador
EL SALVADOR

NICARAGUA

Kingston

Port-au-Prince

PUERTO RICO

OCÉANO ATLÁNTICO

Managua
COSTA RICA
San José ★

PANAMÁ
Panamá

MAR CARIBE

Caracas

TRINIDAD
Puerto España

VENEZUELA

GUAYANA
Georgetown
SURINAM
Paramaribo
GUAYANA FRANCES
Cayenne

Bogotá

COLOMBIA

OCÉANO PACÍFICO

Quito ★

ECUADOR

R. Amazonas

Belém

PERÚ

B R A S I L

Lima ★

BOLIVIA

L. Titicaca
★ La Paz

Brasilia

★ Sucre

Belo Horizonte

São Paulo

PARAGUAY

Rio de Janeiro

Asunción
★ Tucumán

LOS ANDES

R. Paraná

Córdoba

Santiago ★

Mendoza

CORDILLERA DE M.

CHILE

Rosario

URUGUAY
★ Montevideo

Buenos Aires

ARGENTINA

Islas Malvinas

0   500   1000 Miles

0   500   1000 Kilometers

Estrecho de Magallanes

Tierra del Fuego

Cabo de Hornos

Actividad 2: Un viaje por Latinoamérica

Paso 1

Tú y un(a) compañero(a) quieren viajar por Latinoamérica durante los meses de junio y julio. Para poder decidir a qué país viajar, háganse las siguientes preguntas para comparar sus preferencias y establecer prioridades para el viaje.

1. ¿Tienes interés en visitar algún país en particular?
2. ¿Prefieres pasar más tiempo en las ciudades o en el campo? ¿En la costa o en la montaña?
3. ¿Cuánto dinero puedes gastar en el viaje?

UNIDADES MONETARIAS DE LOS PAÍSES DE HABLA HISPANA

País	Unidad monetaria	País	Unidad monetaria
Argentina	el peso	Nicaragua	el córdoba
Bolivia	el boliviano	Panamá	el balboa
Colombia	el peso	Paraguay	el guaraní
Costa Rica	el colón	Perú	el nuevo sol
Cuba	el peso	Puerto Rico	el dólar
Chile	el peso	República	
Ecuador	el sucre	Dominicana	el peso
España	la peseta	El Salvador	el colón
Guatemala	el quetzal	Uruguay	el peso
Honduras	el lempira	Venezuela	el bolívar
México	el peso		

Paso 2

Después de decidir qué país quieren visitar, decidan qué información necesitan para el viaje y dónde la van a buscar.

Paso 3

Ahora utilicen toda la información que tienen para finalizar los planes para el viaje. Contesten las siguientes preguntas.

1. ¿Qué país van a visitar? ¿Por cuánto tiempo van a estar allí?
2. ¿De qué ciudad de los Estados Unidos salen Uds.? ¿Cómo se llama el aeropuerto?
3. ¿En qué fecha van a volver Uds. a los Estados Unidos?
4. ¿Qué documentos necesitan para el viaje? ¿Necesitan vacunas?
5. ¿Cuál es la capital del país que piensan visitar?
6. ¿Hay alguna otra ciudad importante que desean visitar?
7. ¿Hay algún río importante cerca de esa ciudad?

8. ¿Cómo es el clima de ese país en esta época del año?
9. ¿Qué tipo de ropa necesitan llevar?
10. ¿Cuál es la moneda nacional de ese país?
11. ¿Se hablan allí otros idiomas además del español?
12. ¿Qué lugares de interés van a visitar?
13. ¿Qué van a hacer allí durante el día y durante la noche?
14. ¿Tiene algunos amigos en ese país? (¿Cómo son?)
15. ¿Qué cosas interesantes saben Uds. sobre las costumbres y la historia de ese país?
16. ¿Saben Uds. algo sobre la política y la situación económica de ese país?
17. ¿Qué cosas van a comprar Uds.?
18. ¿Qué países quieren visitar Uds. la próxima vez? (Nombren tres.)
19. ¿En qué parte de Latinoamérica están?
20. ¿Por qué quieren visitarlos?

Paso 4

Llena la siguiente solicitud para obtener el visado que necesitas para viajar.

SOLICITUD DE VISADO

Nombre y apellidos: _____

Dirección: _____
       Calle y número Ciudad Estado País

Ciudadanía: _____

Lugar de nacimiento: _____

Fecha de nacimiento: _____

Profesión: _____

Color de los ojos: _____ Color del pelo: _____

Personas que viajan con Ud.: _____

_____

_____

_____

Lugares que piensa visitar: _____

_____

_____

_____

Razones de su viaje: _____ Placer _____ Negocios _____ Estudios

---

Paso 5

Con tu compañero(a), compara los planes de viaje de Uds. con los de otros compañeros de clase. ¿Quiénes tienen los planes más interesantes?

Actividad 3: ¿Expertos en Latinoamérica?

Paso 1

En parejas, lean las descripciones que aparecen en la columna **A** y traten de encontrar las correspondientes respuestas en la columna **B**. ¿Cuál de Uds. las encuentra primero?

A	B
1. Su capital es Buenos Aires.	a. guaraní
2. Es la más grande de las islas del Caribe.	b. los Andes
3. Su capital es Quito.	c. Chile
4. Idioma que se habla en Paraguay además del español.	d. el Amazonas
5. Su producto principal es el petróleo.	e. el bolívar
6. En este país se habla portugués.	f. Colombia
7. Es el más pequeño de los países de Centroamérica.	g. Guatemala
8. Tiene un famoso canal.	h. el nuevo sol
9. Moneda nacional de Perú.	i. Ecuador
10. Es un país largo y estrecho.	j. el Titicaca
11. Ni este país, ni Paraguay, tienen salida al mar.	k. Uruguay
12. En este país vivían los indios aztecas.	l. El Salvador
13. Su capital es Tegucigalpa.	m. Puerto Rico
14. Este país limita con (*borders*) México.	n. Bolivia
15. Este país está entre Venezuela y Ecuador.	o. Argentina
16. Es el río más grande de Sudamérica.	p. Venezuela
17. Dividen Argentina de Chile.	q. Panamá
18. Es el lago navegable más alto del mundo.	r. República Dominicana
19. Su capital es Santo Domingo.	s. Honduras
20. Moneda nacional de Venezuela.	t. México
21. Su capital es Montevideo.	u. Brasil
22. Esta isla es un Estado Libre Asociado a los Estados Unidos.	v. Cuba

Paso 2

Ahora miren el mapa de la página 17 y traten de pensar en otros detalles que Uds. pueden dar sobre los países latinoamericanos. Anótenlos aquí.

_____

_____

_____

_____

_____

_____

_____

_____

_____

_____

_____

_____

_____

_____

Actividad 4: ¡Vienen los estudiantes! ¡Vienen los estudiantes!

Paso 1

Varios estudiantes de habla hispana están de visita en tu universidad. Todos los estudiantes de tu clase de español se han ofrecido para ayudarlos durante su visita. En grupos de tres, decidan qué pueden hacer para resolver los siguientes problemas de los estudiantes. Comparen las soluciones de Uds. con las de otros(as) compañeros(as).

1. Pilar perdió su pasaporte y sus cheques de viajero.
2. Las maletas de Marité no llegaron.
3. Josefina extraña mucho a su familia y llora mucho.
4. A Carmen le robaron la cartera.
5. A María no le gusta nada de este país.
6. Carlos está enamorado de una chica norteamericana y no quiere volver a España.

Paso 2

Ahora representen escenas en las que los estudiantes les cuentan sus problemas y Uds. tratan de ayudarlos.

Actividad 5: El país ideal

Paso 1

Imagínate que tú y un(a) compañero(a) tienen la oportunidad de crear el país ideal. Uds. tienen que decidir lo siguiente:

1. ¿Cómo se llaman el país y su capital?
2. ¿En qué parte del mundo (por ejemplo, continente o hemisferio) está situado?
3. ¿Cómo es el clima? ¿Qué características naturales (montañas, ríos, lagos, etc.) tiene? ¿Cuáles son sus productos principales?
4. ¿Cuántos habitantes tiene? ¿Qué idioma hablan?
5. ¿Qué sistema de gobierno tiene el país?
6. ¿Qué tipo de cultura tiene el país? ¿Qué costumbres y celebraciones observan los habitantes?
7. ¿Qué atracciones turísticas tiene?

Paso 2

Comparen el país de Uds. con los de sus compañeros. Hablen de las ventajas de los diferentes países imaginarios.

Actividad 6: ¿Qué pasa aquí?

Mira el dibujo en la página siguiente con un(a) compañero(a) y hablen de lo que está pasando en la planta baja (*ground floor*) y en el primer piso del edificio. Identifiquen a todas las personas y describan lo que piensan o dicen y los planes que tienen.

Actividad 7: Una agencia de viajes

Tú y dos o tres compañeros(as) dirigen una agencia de viajes que organiza viajes al extranjero preparados especialmente para determinados (*specific*) grupos de turistas. Planifica con ellos viajes de una semana para los siguientes grupos. Decidan qué países van a visitar, qué medios de transporte van a usar, dónde van a dormir y a comer y cuáles son algunas actividades especiales que les van a interesar a sus clientes.

1. gente que quiere ver muchas cosas sin gastar mucho dinero
2. chicos de 16 años que estudian español
3. parejas que están en su luna de miel (*honeymoon*)
4. una asociación de *gourmets*
5. un grupo de aficionados a las novelas de misterio

6. _____

Actividad 8: ¿Dónde nos hospedamos?

Tú y un(a) compañero(a) lean cuidadosamente el anuncio del Hotel Miramar que aparece a continuación. Basándose en la información que aparece en el anuncio, ¿qué ventajas creen Uds. que van a encontrar las siguientes personas si se hospedan en el Hotel Miramar?

1. A Carlos le encantan el baile y los deportes.
2. Los López están viajando con sus dos hijos pequeños.
3. Rosalía no tiene coche y no quiere alquilar uno.
4. El presidente de una compañía va a ofrecer una fiesta para sus empleados.
5. Ramiro viaja con muy poca ropa.
6. La Sra. Montes de Oca viaja siempre con mucho dinero y tiene joyas (*jewelry*) muy valiosas.
7. Ana Rosa y Jorge son una pareja de recién casados (*newlyweds*).
8. Al Sr. Valverde le gustan los juegos de azar (*gambling*) y le encanta comer bien. Siempre compra muchos regalos para su familia.

Hotel Miramar

Disfrute del servicio, la comodidad y la atención que encuentra en nuestro hotel, situado a 10 minutos del aeropuerto y a 20 minutos del centro.

* 300 habitaciones con calefacción y aire acondicionado
* Televisor, teléfono y cajas de seguridad en todos los cuartos
* Baño privado con ducha y bañadera
* Canchas de tenis, campo de golf, piscinas y gimnasio
* Servicios de lavandería y tintorería
* Restaurantes, cafetería y salones para banquetes
* Casino, discoteca y tiendas de recuerdos
* Estacionamiento y transporte gratis al aeropuerto y al centro
* Cuidado de niños

Hotel Miramar

¡...Único en su clase!

Actividad 9: Para conocernos mejor

En grupos de dos, háganse las siguientes preguntas.

1. Cuando tienes vacaciones, ¿prefieres viajar o descansar en tu casa? ¿Por qué?
2. ¿Gastas mucho dinero cuando viajas? ¿En qué?
3. ¿Prefieres viajar en avión, en tren, en barco o en coche? ¿Por qué?
4. ¿Que país sueñas con visitar?
5. ¿Prefieres visitar una ciudad moderna o una ciudad antigua?
6. ¿Cuáles son algunos de los lugares interesantes que tú conoces?
7. ¿Conoces las cataratas del Niágara?
8. ¿Prefieres ir a España o hacer un crucero por el Caribe?
9. ¿Llevas mucho equipaje cuando viajas? ¿Cuántas maletas llevas generalmente?
10. ¿Tienes pasaporte?
11. ¿Cuál crees tú que es un lugar ideal para pasar la luna de miel? ¿Por qué?
12. ¿Te gusta más pasar tus vacaciones en la ciudad o en el campo? ¿Por qué?
13. ¿Prefieres los lugares llanos o los lugares montañosos?
14. ¿Prefieres tener una casa de verano en un bosque, en una colina o en la playa? ¿Por qué?
15. ¿Qué tipo de clima te gusta?
16. ¿Extrañas a tus amigos cuando vas de vacaciones?
17. ¿Te gustan los ritmos latinos para bailar?
18. ¿Qué planes tienes para el próximo verano?

Dichos y refranes

Lee los siguientes diálogos en voz alta con un(a) compañero(a). Traten de averiguar el significado de los dichos en cursiva y de determinar si tienen equivalente en inglés.

1. —No sé qué hacer... Me ofrecen un empleo en una agencia de viajes, pero no pagan mucho.
   —¿Tienes alguna otra posibilidad?
   —Varias, pero nada seguro.
   —¿Por qué no aceptas el trabajo? *Más vale pájaro en mano que cien volando.*
2. —No me gusta perder tiempo. Por eso planeo todas mis actividades con mucho cuidado.
   —Yo no puedo ser como tú. Tú eres siempre tan puntual, ¡tan eficiente!
   —¡Porque *el tiempo es oro*!
3. —Mañana voy a cuidar a los hijos de una amiga. ¡Siempre lo paso bien con ellos!
   —¡Pero tu amiga no te paga!
   —¡Ay, hijo! ¡*No sólo de pan vive el hombre*!

🖵 Y ahora... ¡escucha!

Vas a escuchar información sobre un crucero. Lee lo siguiente antes de escuchar la cinta. Al escucharla, presta atención y trata de anotar los datos más importantes. Si no entiendes algo, escucha la cinta otra vez.

1. Lugares por donde va el crucero: _____

2. Duración: _____

3. Nombre del barco: _____

4. Precio por persona: _____

5. Ciudades que visita: _____

6. Puertos de salida: a. _____

　　　　　　　　　　　 b. _____

7. Días de salida: _____

8. Hora de salida: _____

9. Comidas incluidas en el precio: _____

　　En el barco hay: ___ gimnasio　　___ sauna

　　　　　　　　　　 ___ garaje　　　 ___ tiendas

　　　　　　　　　　 ___ piscina　　　___ correos

　　　　　　　　　　 ___ casino　　　 ___ peluquerías

Servicios para niños: _____

Para hacer reservaciones: Número de teléfono: _____

　　　　　　　　　　　　　 Días: _____

Vocabulario clave

Nombres
el aceite   oil
el aire acondicionado   air conditioning
el analfabetismo   illiteracy
la arena   sand
la bañadera   bathtub
el barco   ship
la caja de seguridad   safe-deposit box
la calefacción   heater, heating system
la cancha de tenis   tennis court
el carnaval   Carnival, Mardi Gras
la cartera   wallet
las cataratas   falls
el centro   downtown
la ciudadanía   citizenship
la comodidad   comfort
el crucero   cruise
el cuidado de niños   child care
el destino   destination
la ducha   slower
el espectáculo   show
la lavandería   laundry, laundromat
la luna de miel   honeymoon
la maleta   suitcase
el mate   a type of herb tea
la moneda   currency; coin
el nacimiento   birth
el pasaporte   passport
el precio   price
el puerto   port

el ritmo   rhythm
la ropa   clothing
la tintorería   dry cleaners
la vacuna   vaccine
el visado   visa

Verbos
bailar   to dance
bañarse   to swim; to bathe
crear   to create
descansar   to rest
disfrutar (de)   to enjoy
extrañar   to miss (*someone or something*)
gastar   to spend (i.e., *money*)
nacer   to be born
recordar (o → ue)   to remember; to remind
robar   to steal, to rob
soñar (con) (o → ue)   to dream (of)
viajar   to travel

Adjetivos
estrecho(a)   narrow
precioso(a)   beautiful
propio(a)   characteristic

Otras palabras y expresiones
a bordo   aboard
una especie de   a kind of
estar enamorado(a) de   to be in love with
el nivel de vida   standard of living

Para hablar de...

Los lugares

el bosque   forest
el campo   countryside
la colina   hill
la costa   coast
adelantado(a)   progressive
desarrollado(a)   developed
fértil   fertile
industrial   industrial
interesante   interesting
limpio(a)   clean
llano(a)   flat
moderno(a)   modern
rico(a)   rich

la frontera   border
el golfo   gulf
la península   peninsula
la selva   jungle, rain forest
atrasado(a)   backward
subdesarrollado(a)   underdeveloped
árido(a)   arid
agrícola   agricultural
aburrido(a)   boring
sucio(a)   dirty
montañoso(a)   mountainous
antiguo(a)   old
pobre   poor

El clima

caluroso, cálido   hot
húmedo   humid
lluvioso   rainy

seco   dry
templado   temperate

Fenómenos naturales

el aguacero   shower
el granizo   hail
el huracán   hurricane

la tormenta   storm
la tormenta de nieve   snowstorm
el tornado   tornado

¡Vamos de viaje!

En parejas, conversen sobre lo siguiente usando el vocabulario que se ha presentado en esta lección.

1. las características del estado en que viven
2. las características de los lugares donde les gustaría vivir
3. las características de la ciudad donde está situada la universidad donde estudian
4. el tipo de clima que prefieren y por qué lo prefieren
5. los fenómenos naturales que ocurren con frecuencia en el estado en que viven, y la época en que ocurren
6. los fenómenos naturales que ocurren en los estados donde viven amigos o familiares
7. los fenómenos naturales que afectan la producción agrícola del estado en que viven

LECCIÓN 3

¡Vamos de tiendas!

Un centro comercial en Buenos Aires, Argentina.

En grupos

Actividad 1: ¿Somos lo que usamos?

Paso 1

Mucha gente cree que se puede conocer a una persona fijándose en su manera de vestir. En parejas, miren el dibujo y describan lo que llevan puesto las personas que aparecen en él. Traten de descubrir cómo son estas personas y expliquen el por qué de su opinión.

Posibles características:

de buen (mal) gusto	distinguido(a)	aburrido(a)
conservador(a)	elegante	extravagante
divertido(a)		

Paso 2

Ahora contesten las siguientes preguntas y comparen sus respuestas con las del resto de la clase.

1. Si estas personas se encuentran en una fiesta, ¿con quién o con quiénes creen Uds. que va a conversar y a bailar cada una de ellas? ¿Por qué?
2. ¿Con quiénes tienen afinidad Uds.? ¿Por qué?
3. ¿Creen Uds. que se puede conocer a una persona fijándose en su manera de vestir?
4. ¿Cómo se visten Uds. generalmente y cómo se refleja su personalidad en su forma de vestir?

Actividad 2: Compras para la casa

Paso 1

Tú y un(a) compañero(a) deciden compartir un apartamento. Como primer paso, Uds. deben decidir qué tipo de apartamento desean y cuánto dinero tienen para pagar el alquiler y los gastos mensuales como electricidad, teléfono y comida. ¿En qué lugar van a alquilar? ¿Por qué?

Paso 2

Miren la siguiente lista de muebles y de otras cosas para la casa para determinar lo que ya tienen y lo que les falta. De las cosas que no tienen, decidan cuáles son necesarias y cuáles no.

Sala de estar	Cocina	Dormitorios
☐ sofá	☐ batería de cocina	☐ cama
☐ butaca	☐ mesa	☐ colchón
☐ mesa	☐ sillas	☐ mesita de noche
☐ televisor	☐ cubo de basura	☐ lámpara
☐ equipo estereofónico	☐ escoba	☐ tocador
☐ videograbadora		☐ escritorio
☐ cortinas		☐ silla
☐ alfombra	**Comedor**	☐ sábanas
	☐ mesa	☐ manta
	☐ sillas	☐ cubrecama
Baño	☐ platos	☐ almohada
☐ toallas	☐ cubiertos	☐ despertador
☐ cubo de basura	☐ aparador	☐ cortinas
☐ espejo	☐ cortinas	☐ alfombra

Paso 3

Ahora piensen cómo van a obtener lo que les falta. ¿Qué cosas son las más necesarias? ¿Dónde van a comprar lo que necesitan? ¿Qué es más importante para Uds.: que las cosas sean de buena calidad o que sean baratas? ¿Les interesa comprar algunas cosas de segunda mano?

Actividad 3: ¿Qué ropa necesitamos?

Paso 1

Hace tiempo que tú y un(a) compañero(a) hablan de ir juntos(as) a comprar ropa. Ahora parece ser un buen momento porque los amigos de Uds. tienen muchos planes para este mes. Miren el calendario y piensen en cómo van a querer vestirse para las diferentes ocasiones.

MARZO

L	M	M	J	V	S	D
		1	2	3	4 Boda de Eva	5 Iglesia
6 De compras al centro 6:00	7	8	9 1:00 Almuerzo en "La Glorieta"	10	11 Fiesta de Juan y María ¡¡Elegante!!	12
13	14	15 Cine 7:00	16	17 Concierto	18 Excursión a las montañas (Hará frío)	19
20	21	22	23	24	25	26
Vacaciones	en Cancún	¡¡¡	Playa –	playa –	playa!!!	
27	28	29 9:00 Reunión Club Panamericano	30	31 Teatro		

Paso 2

Agréguenle (*Add*) al calendario otras actividades que Uds. van a tener en este mes. Hablen con lujo de detalles (*in great detail*) de lo que quieren comprar para cada ocasión. Recuerden: ¡soñar no cuesta nada!

Paso 3

Ahora sean realistas. Consideren su actual estado económico y la ropa que ya tienen y hablen de lo que realmente necesitan, cuánto dinero pueden gastar y adónde van a ir de compras.

Actividad 4: Comprando regalos

Paso 1

Hoy hay una venta en la tienda Bazar del Mundo, que importa objetos de artesanía de todo el mundo hispánico. Tú y dos compañeros(as) han decidido aprovechar (*take advantage of*) la venta para comprar a buen precio todos los regalos que quieren hacerles a sus parientes (*relatives*) y amigos este año. Hagan una lista de las personas a quienes les hacen regalos durante el año.

Paso 2

Lee el siguiente anuncio y di qué cosas piensas comprar. Trata de elegir regalos para todas las personas de tu lista. Explica por qué eliges cada cosa. Escoge también algo para ti.

REGALOS DE TODO EL MUNDO EN

El Bazar del Mundo

De Argentina
Carteras, billeteras, chaquetas, maletas, cinturones y portafolios de cuero

De México
Objetos de cerámica; collares, aretes y pulseras de plata y de oro

De Colombia
Anillos, collares y aretes de esmeralda y de otras piedras preciosas

De España
Alfombras, tapices, figuras de porcelana, encajes y objetos de cristal

De Guatemala
Blusas, camisas y vestidos bordados a mano

Actividad 5: Compras de multimedia

En parejas, miren el siguiente anuncio. Traten de decidir cuáles de los siguientes programas de computadora les serían más útiles. ¿Cuáles los ayudarían en sus estudios o en su trabajo, y cuáles serían los más divertidos? Si pudieran comprar sólo uno, ¿cuál sería? ¿Y si pudieran comprar dos? Expliquen por qué los eligen y comparen sus preferencias con las de otros miembros de la clase.

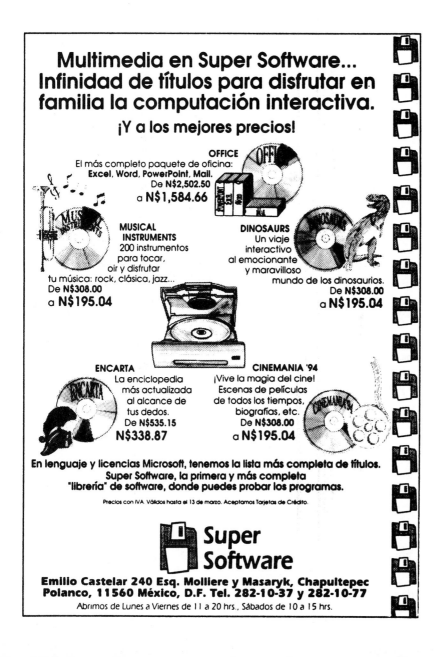

Actividad 6: ¿Cómo se llega allí?

Tú y dos compañeros(as) están de visita en una ciudad que no conocen. Están hospedados(as) en el Hotel México y ahora quieren ir de compras y hacer algunas diligencias (*errands*). Estudien el plano de la ciudad y traten de determinar la forma de llegar a los lugares en la lista de la página 36.

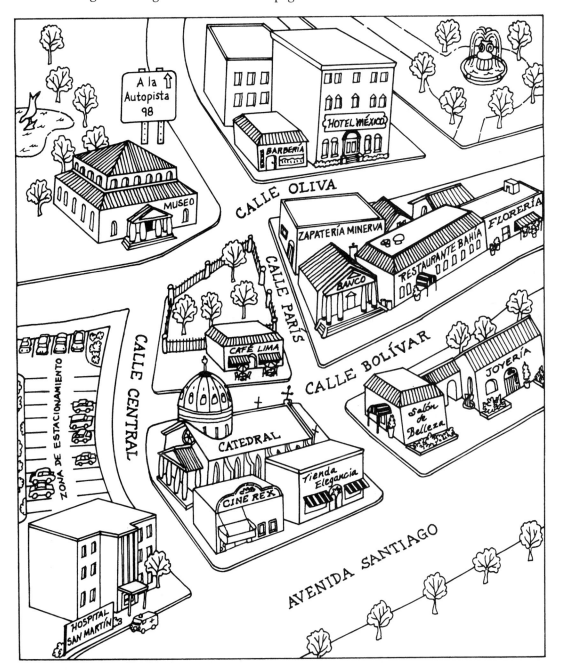

1. Quieren cortarse el pelo.
2. Tienen que ir a buscar el coche.
3. Uno(a) de Uds. quiere comprar un anillo.
4. Quieren encargar flores para los Estados Unidos.
5. Quieren tomar algo en un café típico de la ciudad.
6. Necesitan comprar ropa y zapatos.
7. Les hace falta cambiar dinero.
8. Quieren ver una película.
9. Quieren cenar.
10. Mañana, quieren ir a visitar otra ciudad.

Actividad 7: El cliente siempre tiene razón

Paso 1

Tú y un(a) compañero(a) han encontrado trabajo este verano en una tienda por departamentos de Los Ángeles. Allí van de compras muchas personas de habla hispana, y Uds. tienen que estar preparados(as) para atender a los clientes en español. Para ver si están preparados(as), traten de encontrar la respuesta a las preguntas o a los comentarios del (de la) cliente(a).

Cliente(a)	Dependiente(a)
1. Los pantalones me quedan largos.	a. Puede devolverlo.
2. Estas sandalias me aprietan.	b. Sí, hacen juego.
3. La falda me queda corta.	c. No, es de vinilo.
4. Estas botas me quedan enormes.	d. Podemos envolvérselo para regalo.
5. ¿Qué pasa si no le gusta?	e. Seis pies por ocho pies.
6. ¿Es de cuero?	f. Podemos achicarla.
7. ¿La cadena es enchapada en oro?	g. Podemos alargarla.
8. ¿Son del mismo color?	h. No, ovalada.
9. ¡Estos zapatos son tan cómodos!	i. Si la lava con agua fría, no.
10. El camisón es para mi mamá.	j. Tenemos otras más pequeñas.
11. ¿El marco es cuadrado?	k. No, hay que limpiarlo en seco.
12. La chaqueta me queda grande.	l. Podemos acortarlos.
13. ¿La mesa es redonda?	m. No, es de 18 quilates.
14. ¿Cuánto mide la alfombra?	n. No, rectangular.
15. ¿Este suéter se puede lavar a máquina?	o. Tenemos otras más anchas.
16. ¿Esta tela encoge?	p. Puede llevárselos puestos, si quiere.

Paso 2

Ahora piensen en situaciones que se presentan frecuentemente en las grandes tiendas. ¿Qué dicen los (las) clientes(as) en estas situaciones? ¿Qué dicen los (las) dependientes(as)?

Situaciones	Diálogos	
Situación 1: Un cliente quiere devolver algo porque no le gusta o no funciona.	Cliente(a)	Dependiente(a)
Situación 2: _____		
Situación 3: _____		
Situación 4: _____		

Paso 3

Representen Uds. las escenas que han inventado, cambiando de papel para cada escena. Recuerden que el (la) cliente(a) puede ser cortés o maleducado(a), pero que el (la) dependiente(a) debe tratar de ser cortés en todo momento.

Actividad 8: ¿Qué compramos?

Paso 1

Reúnete con dos compañeros(as). Fíjense en los anuncios de la página 38 y contesten las siguientes preguntas.

1. ¿A quiénes están dirigidos?
2. ¿Creen Uds. que los anuncios van a hacer que la gente compre los productos anunciados? ¿Por qué o por qué no?

Paso 2

Diseñen Uds. un anuncio para un producto nuevo (por ejemplo, una bebida, un coche o algún tipo de ropa). Piensen en cómo pueden convencer a las personas que desean tener como clientes para que compren el producto. El anuncio puede ser serio o humorístico. ¡Sean originales!

Actividad 9: Las artesanías

En grupos de tres o cuatro estudiantes, escojan un país de habla hispana o una región de los Estados Unidos que sea famosa por su artesanía. Preparen un pequeño informe para presentarlo oralmente a la clase. Hablen sobre lo siguiente:

1. Tipo de artesanía que se produce en ese país o región.
2. Materiales que se utilizan en su producción.
3. Importancia que tiene para la economía del país o de la región.
4. Otros aspectos que Uds. consideran importantes.

Prepárense para contestar las preguntas que van a hacerles sus compañeros y el (la) profesor(a).

Actividad 10: Para conocernos mejor

En grupos de dos, háganse las siguientes preguntas.

1. ¿Tratas de vivir dentro de un presupuesto o gastas mucho dinero?
2. ¿Gastaste mucho dinero la última vez que fuiste de compras?
3. ¿Te gusta comprar en tiendas por departamentos o prefieres comprar en tiendas especializadas?
4. La última vez que fuiste de compras, ¿te dieron algún descuento en alguna tienda?
5. ¿Siempre aprovechas las rebajas o compras las cosas cuando las necesitas?
6. ¿Compras algunas cosas al por mayor?
7. La última vez que compraste algo, ¿pagaste en efectivo, con cheque o con tarjeta de crédito?
8. ¿Qué artículo de cuero compraste últimamente?
9. ¿Prefieres las camisas (las blusas) a cuadros o a rayas?
10. ¿Qué joyas prefieres usar?
11. ¿Tienes una cadena de oro? (¿Alguien te la regaló?)
12. ¿Tu reloj es de oro o enchapado en oro? (¿Te costó muy caro?)
13. ¿Le mandaste flores a alguien el mes pasado? (¿A quién se las mandaste?)
14. ¿Te gusta envolver regalos o siempre compras bolsas para regalo?
15. ¿Qué días haces diligencias?
16. Generalmente, ¿lavas tu ropa o la mandas a lavar en seco? (¿O alguien te la lava?)
17. Cuando lavas la ropa, ¿la lavas a mano o a máquina?
18. ¿Tienes mucha afinidad con tu mejor amigo(a) o tienes una personalidad muy diferente a la suya?

Dichos y refranes

Lee los siguientes diálogos en voz alta con un(a) compañero(a). Traten de averiguar el significado de los dichos en cursiva y de determinar si tienen equivalente en inglés.

1. —Estaba muy bien vestida, pero era obvio que no sabía cómo comportarse en sociedad.

   —¡Bueno, hija! *Aunque la mona se vista de seda, mona se queda...*

2. —¡No sé cómo puedes usar esa falda, Anita! ¡Es muy ajustada (*tight*)!

   —Pero este tipo de ropa se usa mucho hoy en día. Y tú sabes que *la moda no incomoda.*

3. —Julio parecía un muchacho tan fino, tan educado... ¡Qué desilusión!

   —¿Qué quieres, chica? *¡No todo lo que brilla es oro!*

▤ Y ahora... ¡escucha!

Vas a escuchar un anuncio sobre el catálogo de una joyería. Lee lo siguiente antes de escuchar la cinta. Al escucharla, presta atención y trata de anotar los datos más importantes. Si no entiendes algo, escucha la cinta otra vez.

Nombre de la joyería: _____

Precio del catálogo: _____ $2 _____ $5 _____ Es gratis

Número de estilos que ofrece: _____

Hay estilos para: _____

_____

_____

Tamaños especiales de sortijas: _____

_____

Tipos de relojes: _____

_____

Otras cosas que ofrece el catálogo:

_____   _____

_____   _____

_____   _____

_____   _____

Porcentajes de descuento: _____

Formas de pago aceptados: _____ y _____

Formas de envío: Correo _____ llega en _____

Correo _____ llega en _____

Número de teléfono: _____

Vocabulario clave

Nombres
el **anillo**, la **sortija**   ring
el **anillo de compromiso**
   engagement ring
los **aretes**, los **pendientes**   earrings
la **bandeja**   tray
el **caballero**, el **señor**   gentleman
la **cadena**   chain
el **camisón**   nightgown
el **collar**   necklace
el **colchón**   mattress
el **cuero**   leather
la **dama**, la **señora**   lady
el (la) **dependiente(a)**   clerk,
   salesperson
el **descuento**   discount
la **devolución**   return
el **encaje**   lace
la **flor**   flower
la **garantía**   guarantee, warranty
el **gasto**   expense
el **gusto**   taste
la **madera**   wood
la **manta**, la **frazada**   blanket
el **marco**   frame
la **piedra (preciosa)**, la **gema**   gem
el **presupuesto**   budget
la **pulsera**, el **brazalete**   bracelet
el **quilate**   carat
el **tapiz**   tapestry
la **tienda por departamentos**, el
almacén (*Spain*)   department store
el **vinilo**   vinyl

Verbos
acortar   to shorten
achicar   to make smaller
alargar   to lengthen
apretar (e → ie)   to be too tight
atender (e → ie)   to serve, to wait on
diseñar   to design
encoger   to shrink
envolver (o → ue)   to wrap
escoger   to choose
jubilarse, **retirarse**   to retire
lavar   to wash

Adjetivos
ancho(a)   wide
bordado(a)   embroidered
cuadrado(a)   square
deslumbrante   dazzling
divertido(a)   amusing, fun
maleducado(a)   rude
ovalado(a)   oval
redondo(a)   round
tallado(a)   carved

Otras palabras y expresiones
a mano   by hand
a todo color   in full color
enchapado(a) en oro (en plata)
   gold- (silver-) plated
hacer diligencias   to run errands
lavar a máquina   to machine wash
limpiar (lavar) en seco   to dry clean
tener afinidad   to have things in
   common

Para hablar de...

Las compras

la venta, la rebaja   sale, markdown
la mercancía   merchandise
las galerías   shopping mall
el giro postal   money order

la tarjeta de crédito   credit card

al por mayor   wholesale
al por menor   retail

La ropa

la cinta, el lazo   ribbon
el (la) diseñador(a)   designer
las joyas de fantasía   costume
   jewelry
los lunares   polka dots
la marca   brand
la moda   fashion, style

la tela   fabric
los vaqueros   jeans

a cuadros   checked
a rayas   striped
estampado(a)   print
floreado(a)   flowered (*floral print*)

Cosas para la casa

el aparador   buffet, hutch
la batería de cocina   kitchen
   utensils
la butaca   armchair

el cubo de basura   garbage can
la escoba   broom
el tocador   dresser
los cubiertos   silverware

De compras

En parejas, conversen sobre lo siguiente usando el vocabulario que se ha presentado en esta lección.

1. las compras que hacen frecuentemente y las que hacen una vez al mes o una o dos veces al año
2. los lugares donde compran, cómo compran y cómo pagan
3. el tipo de ropa que usan generalmente
4. los tipos de tela que prefieren
5. si siguen la moda o no y por qué
6. las cosas que compran por lo regular, incluyendo cosas para la casa
7. las cosas que quieren comprar para la casa y si tienen suficiente dinero para comprarlas

LECCIÓN 4

El arte y los artistas

Festival folklórico en
San José, Costa Rica.

En grupos

Actividad 1: Tres artistas nos hablan de sus experiencias

Paso 1

Lee las siguientes entrevistas que aparecieron en un periódico de California.

Montserrat Pujol, de
España

— ¿Cuánto tiempo hace que pintas, Montserrat?
— ¡Ay, hijo! Hace años... Me acuerdo de que cuando era pequeña siempre les pedía acuarelas, pinceles y lienzos a mis padres...
— ¿Ahora pintas paisajes o retratos?
— ¡De todo! Y también naturaleza muerta.
— ¿Pintas a la acuarela o al óleo?
— Prefiero pintar al óleo... Sobre todo los retratos.
— ¿Qué pintores influyeron más en ti?
— Mis compatriotas, Picasso y Miró. ¡Me encantan los dos!
— ¿Piensas presentar alguna exposición de tus cuadros?
— Algún día... quién sabe, ¡quizás en el Museo de Arte Moderno de Nueva York!

Ariel Montenegro, de
Uruguay

— Tú naciste en Uruguay, ¿no?
— Sí, pero me crié en Argentina.
— ¿Cuánto tiempo hace que estás aquí, en California?
— Tres meses. Llegué a principios del verano, con todos mis instrumentos.
— Tocas la guitarra y el violín, ¿verdad?
— Sí, y también el piano, pero dejé el mío en Buenos Aires, por supuesto.
— Tus padres también son músicos, ¿verdad?
— Sí, mi padre toca el contrabajo y mi madre toca el arpa. Y mi hermana menor está estudiando baile clásico.
— ¿Qué planes tienes para el futuro?
— Bueno... continuar con mi música y algún día hacer una gira por Sudamérica y quizás tocar en el Teatro Colón[1] de Buenos Aires.

---

[1]El Teatro Colón es uno de los teatros más grandes y más famosos del mundo.

José Luis Varela, de Cuba

— ¡Felicitaciones! Te escuché cantar anoche. ¡Eres un gran cantante!
— ¡Gracias!
— Tienes un repertorio muy variado...
— Es verdad. Es que yo salí de Cuba cuando tenía unos diez años y viví con mi familia en varios países de Latinoamérica.
— ¡Con razón! Muchas de las canciones que cantaste anoche eran de Sudamérica, ¿no?
— Sí, canté un tango argentino, una cueca chilena, un vals peruano, una guarania paraguaya...
— ¿Y qué ritmos te gustan para bailar?
— La salsa, la cumbia, y, como a buen cubano, me encantan la rumba y el chachachá.

Paso 2

Ahora usa las entrevistas y tu imaginación para hablar con un(a) compañero(a) de lo siguiente.

1. la niñez y la adolescencia de Montserrat y de José Luis
2. las cosas que son importantes para cada uno de ellos
3. el tipo de relación que los tres chicos tienen con su familia
4. los planes que Montserrat, Ariel y José Luis tienen para el futuro
5. lo que sabes ahora sobre la música latinoamericana que no sabías antes

Paso 3

Ahora la clase se dividirá en tres grupos. Cada grupo va a predecir el futuro de uno de los entrevistados y va a dar noticias sobre ella (él), diciendo: "Han pasado veinte años desde aquella entrevista, y ahora..." Al escuchar el futuro de cada entrevistado, anota lo que le va a pasar a cada uno(a).

Montserrat Pujol: _____

_____

Ariel Montenegro: _____

_____

José Luis Varela: _____

_____

Actividad 2: Nuestros artistas

Paso 1

Lee las siguientes minibiografías.

Seis grandes figuras de la literatura y del arte hispano

Este gran pintor español está considerado por muchos como uno de los mejores pintores del siglo XX. Fue un gran innovador en cuanto a formas, estilos y técnicas y fue, además, uno de los artistas más prolíficos de la historia. Su obra atravesó por diferentes períodos como el Azul, el Rosa y el Cubista, siendo este último el que le dio más fama. Una de sus obras más conocidas es su mural titulado *Guernica*, inspirado en los horrores de la guerra civil española.

Pablo Picasso (1881–1973)

Diego Rivera nació en Guanajuato, México, y desde muy pequeño demostró gran aptitud para la pintura. Comenzó sus estudios de arte en México y más tarde se trasladó a España y después a París. Allí recibió la influencia del postimpresionismo y del cubismo. Rivera es conocido especialmente por sus murales, de estilo vigoroso y enfático. El más famoso de ellos es el que se encuentra en el Palacio Nacional, en la Ciudad de México. En este gigantesco mural, Rivera pintó la historia de su país.

Diego Rivera (1886–1957)

Esta gran poetisa chilena es la única mujer latinoamericana que recibió el Premio Nobel de Literatura (1945). Aunque de origen humilde —ella siempre se consideró una campesina— tuvo altas posiciones en los campos de la educación, de la diplomacia y de la literatura.

El tema central de su poesía es el amor, especialmente el amor a los niños y a los pobres. Otros temas que se ven en sus poemas son la naturaleza y la muerte. Entre sus libros más conocidos figuran *Desolación* y *Tala*.

Gabriela Mistral
(1889–1957)

Este famoso novelista guatemalteco recibió el Premio Nobel de Literatura en el año 1967. Su mejor novela, *El señor presidente*, está inspirada en los hechos ocurridos en Guatemala durante la tiranía del dictador Manuel Estrada Cabrera, bajo cuyo gobierno vivió Asturias durante su niñez y su juventud.

Aunque Asturias es conocido principalmente como novelista, escribió también poesía y obras de teatro.

Miguel Ángel Asturias
(1894–1987)

Este gran músico español ha sido reconocido como el guitarrista más importante de su época. A él se debe el restablecimiento del uso de la guitarra como instrumento de concierto en el siglo XX. Desde niño demostró gran talento musical y dio su primer concierto a los quince años. Hizo presentaciones en España y más tarde hizo una gira por Sudamérica. Cuando en 1924 dio un concierto en París, su fama ya era internacional.

Andrés Segovia
(1894–1987)

Albéniz, considerado como uno de los más grandes compositores españoles, fue también un famoso concertista de piano. La fama de Albéniz se debe principalmente a sus composiciones para piano, en las que utiliza los estilos y los ritmos de la música folklórica española. Su obra más conocida es *Iberia*, considerada por muchos como una evocación del espíritu de España, especialmente de Andalucía.

Isaac Albéniz (1860–1909)

Paso 2

Ahora la clase se dividirá en tres grupos. Con tus compañeros(as) de grupo, prepara una lista de preguntas sobre lo que han leído para hacérselas al resto de la clase.

Grupo 1: Pintores   Grupo 2: Escritores   Grupo 3: Músicos

Actividad 3: Minibiografías

Colabora con dos compañeros(as) en la preparación de una minibiografía de una de las personas de la siguiente lista para presentársela al resto de la clase. Uds. deben preparar también una lista de preguntas sobre la información que presentan para hacérselas a sus compañeros.

Jorge Luis Borges   Francisco de Goya
Ana María Matute   Manuel de Falla
Frida Kahlo   Isabel Allende

Actividad 4: Nuestras actividades culturales

Paso 1

Conversa con un(a) compañero(a). Contesta las siguientes preguntas y anota las respuestas que él (ella) te da.

¿Cuándo fue la última vez que...

1. ...leíste una novela (un poema, un cuento, una obra de teatro)? ¿De qué autor? ¿Cuál? ¿Te gustó? ¿Por qué o por qué no?

   _____

   _____

2. ...fuiste a un concierto? ¿Dónde? ¿De qué tipo? ¿Te resultó interesante? ¿Aprendiste algo nuevo? ¿Qué?

   _____

   _____

3. ...fuiste al teatro? ¿A cuál? ¿Qué obra viste? ¿Era un drama, una comedia o una obra musical? ¿Eran buenos los actores?

   _____

   _____

4. ...participaste en alguna actividad cultural? ¿En cuál? ¿Qué hiciste?

   _____

   _____

Paso 2

Basándote en tus apuntes (*notes*), escribe una "minibiografía cultural" de tu compañero(a) y léesela.

Actividad 5: ¿Quién soy yo?

La clase se dividirá en grupos de cuatro o cinco estudiantes. Cada grupo selec-
cionará una figura famosa (del mundo de la pintura, de la literatura o de la
música) y preparará una lista de oraciones que la describan. Cada grupo leerá sus
descripciones para que el resto de la clase trate de adivinar (*guess*) la identidad del
(de la) artista.

MODELO: ¿Quién soy yo?
Soy de Nueva York.
Soy compositor.
Mi hermano se llama Ira.
He escrito obras clásicas y también música popular y música para
    el teatro.
Una de mis composiciones es *Un americano en París*.
(*Soy George Gershwin*)

Actividad 6: ¿Cuánto sabemos de pintura, de música y de literatura?

Paso 1

Demuestra tus conocimientos del mundo de la pintura, de la música y de la literatura. Trabaja con dos o tres compañeros(as) para encontrar la información en la
columna **B** que corresponde a la que aparece en la columna **A** de la página siguiente.

A	B
1. Este escritor norteamericano escribió el poema "El cuervo".	a. Ernest Hemingway
2. Este gran pintor italiano pintó *La última cena*.	b. Ludwig van Beethoven
3. Escribió *El viejo y el mar*.	c. Federico Chopin
4. Este escultor italiano creó la estatua *David*.	d. Dante Alighieri
5. ¿Quién no recuerda su "Serenata"?	e. John Milton
6. Este gran músico se quedó sordo.	f. Pablo Picasso
7. A este gran compositor polaco le debemos "La polonesa".	g. Gabriel García Márquez
8. Famoso muralista mexicano.	h. William Shakespeare
9. Autor inglés de *Historia de dos ciudades*.	i. Johann Wolfgang von Goethe
10. Escribió *El paraíso perdido*.	j. Augusto Rodin
11. Famosa poetisa norteamericana del siglo XIX.	k. Leonardo da Vinci
12. El cuadro *Los tres músicos* pertenece al período cubista de este gran pintor español.	l. Ana Pavlova
13. Escribió sobre el infierno.	m. Federico García Lorca
14. Escribió la obra maestra de la literatura española.	n. Charles Dickens
15. De él es la famosa frase "Ser o no ser".	o. John Steinbeck
16. Es el autor de *Los miserables*.	p. Salvador Dalí
17. Escritor colombiano, autor de *Cien años de soledad*.	q. Plácido Domingo
18. Uno de sus personajes hizo un pacto con el diablo.	r. Miguel Ángel
19. Escribió *La guerra y la paz*.	s. Julio Verne
20. De él es la famosa escultura *El pensador*.	t. Miguel de Cervantes
21. Famosa bailarina rusa.	u. León Tolstoy
22. Famoso cantante de ópera.	v. Edgar Allan Poe
23. Autor norteamericano de *Las viñas de la ira*.	w. Emily Dickinson
24. Escritor francés, autor de *20.000 leguas de viaje submarino*.	x. Diego Rivera
25. Famoso poeta español del siglo XX.	y. Franz Schubert
26. Gran pintor surrealista español.	z. Víctor Hugo

¿Están seguros(as) de que sus respuestas son correctas? Compárenlas con las del resto de la clase, pidiéndole ayuda al (a la) profesor(a), si es necesario.

Paso 2

Ahora contesten las siguientes preguntas.

1. ¿Sobre cuál de las artes sabían más, la música, la literatura, el baile o la pintura y la escultura?
2. ¿Qué es lo que la mayoría de los estudiantes sabían y qué es lo que no sabía la mayor parte de la clase?
3. ¿Qué aprendieron Uds. al hacer esta actividad?

Actividad 7: ¿Cuál prefieres?

Paso 1

Cada mes el comité cultural de tu universidad patrocina (*sponsors*) una presentación o exhibición especial en el campus. Este año el comité les ha pedido a ti y a dos de tus compañeros(as) que den su opinión sobre las actividades que están considerando para el próximo año académico. Comparen sus opiniones sobre las siguientes actividades, dando las razones de sus preferencias. Después, sugieran algunas posibilidades que no están en la lista.

1. una exposición de arte moderno
2. una presentación de bailes modernos
3. una función de ballet
4. una conferencia sobre la novela hispanoamericana contemporánea
5. presentación de una obra teatral
6. un concierto de piano

Paso 2

Ahora comparen sus preferencias y sugerencias con las del resto de la clase.

Actividad 8: ¿Qué pasa aquí?

Mira el dibujo y habla con un(a) compañero(a) de lo que está pasando en el Teatro Colón durante un ensayo (*rehearsal*) de la ópera *Carmen*. Uds. deben identificar a todas las personas y describir lo que hacen, piensan o dicen.

Actividad 9: ¿Qué hacemos? ¿Adónde vamos?

Paso 1

En grupos de dos o tres, contesten las siguientes preguntas, basándose en los anuncios que aparecen en esta página y en la página 54. ¡Uds. no están en la clase de español sino en Madrid!

1. Si tienen ganas de comer bien y de ver un buen espectáculo, ¿adónde pueden ir?
2. ¿Cómo se llama el espectáculo? ¿Pueden Uds. ir el miércoles, si quieren?
3. Si Uds. van al restaurante a las cinco de la tarde, ¿pueden ver el espectáculo? ¿Por qué o por qué no?
4. ¿Qué pueden hacer si necesitan saber cuánto va a costar el espectáculo?
5. Si Uds. quieren ver una película con actores españoles, ¿adónde pueden ir?
6. ¿Quiénes son los actores? ¿Cómo se llama la actriz?
7. ¿Adónde pueden ir a bailar? ¿Qué tipo de música y de ambiente van a encontrar allí?
8. Si no tienen tiempo para viajar a Andalucía, ¿adónde pueden ir para conocer un poco de la cultura y del ambiente de esa tierra?
9. Si Uds. tienen ganas de escuchar música lírica, ¿adónde pueden ir? ¿Cuándo? ¿Cuánto van a pagar por cada entrada?

Paso 2

Ahora hagan sus planes. Uds. van a pasar cinco días en Madrid. Decidan adónde van a ir, cuándo y a qué hora. ¿Cuánto dinero pueden gastar? Si no pueden ir a todos los lugares, ¿a cuáles prefieren ir? ¿Por qué? Expliquen las razones por las que escogen esos lugares.

Actividad 10: Para conocernos mejor

En grupos de dos, háganse las siguientes preguntas.

1. ¿Dónde naciste tú? ¿Dónde te criaste?
2. ¿Eres buen bailarín (buena bailarina)?
3. ¿Qué tipo de música te gusta para bailar? ¿para escuchar?
4. ¿Cuál es el instrumento musical que más te gusta? ¿Sabes tocar alguno?
5. ¿Te gusta cantar?
6. ¿Sabes la letra de alguna canción en español? ¿De cuál?
7. ¿Te gusta la ópera?
8. ¿Te gusta ir a exposiciones de arte? ¿Prefieres los paisajes o la naturaleza muerta?
9. ¿Pintaron alguna vez un retrato tuyo?
10. ¿Prefieres pintar al óleo o a la acuarela?
11. ¿Qué tipo de novela te gusta leer: romántica, de misterio, de ciencia-ficción?
12. ¿Quién es tu escritor(a) favorito(a)?
13. ¿Leíste el *Infierno* de Dante?
14. ¿Cuál es tu personaje de ficción favorito?
15. ¿Qué prefieres leer: cuentos, novelas, poemas o ensayos?
16. Cuando lees una novela, ¿tratas de averiguar el desenlace antes de empezar?
17. ¿Qué tipo de música te gusta escuchar cuando estás solo(a)? ¿Prefieres la soledad a veces?

Dichos y refranes

Lee los siguientes diálogos en voz alta con un(a) compañero(a). Traten de averiguar el significado de los dichos en cursiva y de determinar si tienen equivalente en inglés.

1. — Yo no sabía que tú escribías poemas...
   — Sí... ya sabes lo que dicen: *De músico, poeta y loco, todos tenemos un poco.*

2. — Los actores criticaban al director, pero cuando uno de ellos decidió dirigir una obra teatral, fracasó por completo.
   — ¡Ay, hijo! Es que *una cosa es con guitarra y otra cosa es con violín.*

3. — Mi profesora de piano me dice que yo no estoy lista para dar un concierto, pero mis amigos me aseguran que toco muy bien.
   — Pues hazle caso a tu profesora y practica más. Recuerda que, *si el sabio no aprueba, malo; si el necio aplaude, peor.*

▭ Y ahora... ¡escucha!

Vas a escuchar la información que ofreció Radio Caribe ayer sobre las actividades culturales de la semana. Lee lo siguiente antes de escuchar la cinta. Al escucharla presta atención y trata de anotar los datos más importantes. Si no entiendes algo, escucha la cinta otra vez.

Nombre de la estación de radio: _____

Museo de Arte Moderno

Nacionalidad de la pintora Amelia Carreras: _____

La exposición va a estar abierta de _____ a _____

Horas: de _____ a _____

Precio de la entrada: _____

Teatro Municipal

Tipo de función: _____

Pianista: _____

Compositor: _____

Teatro Victoria

Se presenta el _____

Cuándo: _____

Número de funciones: sábado _____ domingo _____

Número de voluntarios que busca el teatro: _____

Compensación: _____

Centro Cultural

Tema de la conferencia: _____

Nombre del escritor: _____

Título de la nueva novela: _____

Número de teléfono del Centro Cultural: _____

Vocabulario clave

Nombres

el bailarín, la bailarina   dancer
el (la) campesino(a)   country person, peasant
el campo   field
el contrabajo   bass
el cuento   short story
el (la) escritor(a)   writer
la exposición   exhibit
la función, el espectáculo   show
la gira   tour
el gobierno   government
la guerra   war
el hecho   happening, event
el infierno   inferno, hell
la juventud   youth
el lienzo, la tela   canvas
la muerte   death
la naturaleza muerta   still life
el (la) necio(a)   fool
la niñez   childhood
la noticia   news, information
la obra maestra   masterpiece
el paisaje   landscape
la paz   peace
el personaje   character
la presentación   performance
la respuesta   answer
el ritmo   rhythm
el (la) sabio(a)   wise man (woman)
la soledad   solitude
el tema   topic, theme
el vals   waltz

Verbos

aplaudir   to applaud
atravesar (e → ie)   to go through
criarse   to be raised
encargarse de   to be in charge of
escuchar   to listen (to)
fracasar   to fail
influir (yo influyo)   to influence
pertenecer (yo pertenezco)   to belong

Adjetivos

humilde   humble
loco(a)   crazy, insane
polaco(a)   Polish
sordo(a)   deaf
último(a)   latest

Otras palabras y expresiones

a cambio de   in exchange for
a la venta   on sale, available for purchase
a principios de   at the beginning of
además   furthermore
¡con razón!   no wonder!
desde   since
este último   the latter
felicitaciones   congratulations
habrá   there will be
hacer caso   to listen, to pay attention (*i.e., to heed advice*)
por completo   completely
por supuesto   of course
quedarse sordo(a)   to become deaf
se debe a   is due to

Para hablar de...

La música

cantar   to sing
cantar a dúo   to sing a duet
componer (*conj. like* **poner**)   to compose
el coro   choir

la letra   lyrics (*to a song*)
la ópera   opera
la orquesta sinfónica   symphony orchestra

La pintura y la escultura

la acuarela   watercolor
el bronce   bronze
el cuadro   painting
exhibir   to exhibit
el mármol   marble

el óleo   oil paint
la paleta   palette
el pincel   brush
la pintura   paint
el retrato   portrait

La literatura

el desenlace   ending, outcome
el (la) dramaturgo(a)   playwright
el ensayo   essay
la prosa   prose

el (la) protagonista   main character, protagonist
rimar   to rhyme
la trama   plot
el verso   verse

El arte y los artistas

En parejas, conversen sobre lo siguiente usando el vocabulario que se ha presentado en esta lección.

1. el tipo de música que les gusta
2. los tipos de música más populares en la universidad donde estudian
3. si les gusta pintar y lo que necesitan para hacerlo
4. el tipo de arte que es más popular en el estado donde viven, y los lugares adonde pueden ir para disfrutarlo
5. los museos que han visitado y lo que han visto en ellos
6. el tipo de literatura que prefieren
7. las últimas obras que han leído, si les han gustado o no y por qué
8. las obras de teatro que han visto o leído

L E C C I Ó N 5

¿Qué hacemos este fin de semana?

Una pareja
madrileña, en un
típico café.

En grupos

Actividad 1: Autoanálisis

Paso 1

¿Cómo eres? ¿Cuáles son los rasgos (*characteristics*) principales de tu personalidad? ¿Qué te gusta y qué no te gusta? Completa la siguiente información antes de venir a clase. Luego reúnete con tres compañeros(as) para comparar respuestas.

1. Mis dos mayores virtudes son _____

   _____

2. Mis dos mayores defectos (*shortcomings*) son _____

   _____

3. Lo que más me irrita es _____

   _____

4. Mi pasatiempo favorito es _____

   _____

5. Mi mayor aspiración en la vida es _____

   _____

6. Para sentirme bien, necesito _____

   _____

7. Lo que más aprecio en mis amigos(as) es _____

   _____

8. Mis diversiones favoritas son _____

   _____

9. Lo que más me aburre es _____

   _____

10. Mis programas de televisión favoritos son _____

    _____

11. Mis comidas favoritas son _____

    _____

12. Mis bebidas favoritas son _____

    _____

Paso 2

Ahora hablen de lo siguiente.

1. ¿Qué ventajas les traen sus virtudes y qué problemas les causan sus defectos?
2. ¿Qué cosas tienen Uds. en común?
3. ¿Qué diferencias hay entre Uds.?
4. Comparen sus aspiraciones y lo que planean hacer para hacer realidad sus sueños.

Actividad 2: ¿Cómo es la persona ideal?

Paso 1

En grupos de cuatro o cinco estudiantes, hagan una lista de cinco cualidades que Uds. consideran deseables en los hombres y en las mujeres, y de cinco que no son deseables.

CUALIDADES DESEABLES

HOMBRES	MUJERES
_____	_____
_____	_____
_____	_____
_____	_____
_____	_____
_____	_____

CUALIDADES NO DESEABLES

HOMBRES	MUJERES
_____	_____
_____	_____
_____	_____
_____	_____
_____	_____
_____	_____

Paso 2

Ahora un(a) estudiante de cada grupo escribirá su lista en la pizarra. La clase escogerá diez cualidades y las colocará por orden de importancia. ¿Cuáles son las cualidades que todos admiramos en una persona, cualquiera que sea su sexo?

Actividad 3: La cita perfecta

Paso 1

En parejas, planeen la cita perfecta. Incluyan en el plan todos los detalles, desde la invitación al chico o a la chica hasta el final de la cita. La invitación y la cita deben ser originales, interesantes y divertidas. En cuanto al dinero que van a gastar, Uds. tienen dos opciones: un presupuesto muy limitado o un presupuesto de millonarios. Anoten los detalles aquí.

_____

_____

_____

_____

_____

_____

_____

_____

_____

Paso 2

Preséntenle su "cita perfecta" a la clase, y escuchen las de sus compañeros. ¿Quiénes han creado la verdadera "cita perfecta"?

Actividad 4: ¿Cómo hacer amigos?

Paso 1

En grupos de tres o cuatro, hablen de los lugares adonde generalmente podemos ir para encontrar al hombre o a la mujer de nuestros sueños o para hacer nuevos amigos. Hablen de las ventajas y de las desventajas de cada uno de los lugares que mencionen.

Paso 2

Ahora lean el siguiente anuncio, publicado en un periódico de Massachusetts. Después, digan si les parece que ofrece un buen servicio. ¿Creen Uds. que, si se hace lo que sugiere el anuncio, se pueden conseguir amigos? ¿Creen Uds. que este tipo de servicio da resultado?

Línea del amor y de la amistad

Próximamente el periódico EL MUN-DO va a comenzar una nueva sección para las personas que desean encontrar compañía en una forma privada y controlada. En estos tiempos modernos, a veces es difícil encontrar a alguien con quien tener una relación o simplemente una amistad. EL MUNDO le va a ofrecer este servicio a la comunidad hispana a través de una sección, dedicada a las personas solteras, que se va a publicar semanalmente. En esta sección usted también puede poner anuncios perso-nales, detallando las cualidades que busca en otros. Todo esto se hace de una manera privada y confidencial. Le aseguramos que Ud. va a quedar asombrado con los resultados. ¡Anímese y participe! Para mayor informa-ción, esté atento al periódico EL MUNDO y a RADIOLANDIA 1330 AM en las próximas semanas.

**¡ANÚNCIESE GRATIS!
¡NO ESPERE!**

Comience ahora mismo…

Para que usted pueda comenzar a participar en esta nueva y divertida sección que saldrá próximamente, EL MUNDO le ofrece publicar un anuncio personal GRATIS de no más de 35 palabras. Esté atento a EL MUNDO y a RADIOLANDIA 1330 AM para mayor información sobre cómo publicar su anuncio GRATIS y participar en LA LÍNEA DEL AMOR Y DE LA AMISTAD.

Cómo escribir un buen anuncio…

Un buen anuncio personal debe llamar la atención del que lo lea, destacando sus cualidades y las de la persona que usted desea conocer.

Debe ser específico en cuanto a los detalles de su vida, sus gustos y sus aversiones. ¿Cómo pasa los fines de semana? ¿Qué cualidades le atraen? ¿Le gusta salir a bailar o no? Todas éstas son preguntas que usted debe tratar de contestar en su anuncio.

Para obtener buenos resultados… ¡sea específico! ¡Buena suerte!

Paso 3

Escriban sus propios anuncios personales en una hoja de papel, siguiendo los consejos del anuncio. El (La) profesor(a) leerá los anuncios en voz alta. Traten de adivinar quién escribió cada anuncio.

Actividad 5: Distintos tipos de citas

Paso 1

En parejas, hablen de las ventajas y desventajas de diferentes tipos de citas. De las mencionadas abajo, ¿cuáles han tenido Uds.? ¿Qué tipos prefieren, y cuáles no les gustan? ¿Por qué?

1. una "cita a ciegas" (*a blind date*)
2. una cita doble
3. una cita con alguien que hasta entonces había sido "sólo un(a) amigo(a)"
4. una cita muy formal
5. una cita muy informal

Paso 2

Hablen con lujo de detalles sobre la mejor y la peor de sus citas. Después, comparen sus historias con las del resto de la clase. ¿Quién tiene la mejor anécdota? ¿Y la peor?

Auténtica cocina española a los precios más razonables en New York

Almuerzo de lunes a viernes de 12-3pm
Cena de lunes a sábado de 5pm a 11pm

718 Segunda Avenida (entre calles 38 y 39)
Para reservas: 889-6680

COCINA

REGIONAL

CUBANA

Y

DEL

CARIBE

NEW YORK - MIAMI

236 WEST 52ND STREET
Entre Broadway y Octava Avenida
Tel: 212- 586-7714

Actividad 6: ¿Dónde vamos a comer?

Paso 1

¿Dónde se reúnen Uds. con sus amigos(as)? En grupos de dos o tres, contesten las siguientes preguntas.

1. ¿Salen Uds. frecuentemente con sus amigos(as) a comer en un restaurante o a tomar algo? Por lo general, ¿van por la tarde o por la noche?
2. ¿Con quién(es) van Uds. más frecuentemente?
3. ¿Qué tipo de comida piden generalmente?
4. ¿Van Uds. "a la americana"[1]? Si no, ¿quién paga la cuenta por lo general?

Paso 2

Identifiquen los lugares adonde irían y los lugares adonde *no* irían en los siguientes momentos. En cada caso, expliquen el por qué de su elección. ¿Cuáles son las ventajas y desventajas de los diferentes sitios?

	Iríamos	No iríamos
1. Para una cena romántica	_____	_____
	_____	_____
2. Para tomar algo	_____	_____
	_____	_____
3. Cuando tienen hambre pero no tienen mucho tiempo	_____	_____
	_____	_____
4. Cuando quieren comer fuera pero no tienen mucho dinero	_____	_____
	_____	_____
5. Para desayunar	_____	_____
6. Para encontrarse con sus amigos	_____	_____
	_____	_____
7. Cuando tienen ganas de comer comida extranjera	_____	_____
	_____	_____

---

[1] "A la americana" se usa en los países de habla hispana para indicar que cada uno paga lo suyo.

Actividad 7: ¿Adónde vamos a celebrar... ?

Paso 1

En parejas, lean el anuncio y contesten las siguientes preguntas.

**A su domingo
inclúyale un Brunch
¡TODO INCLUIDO!**

Desde este domingo 14 de febrero,
venga al café Martinique del hotel Krystal Rosa
a disfrutar de nuestro **BRUNCH DEL CHEF.**
Comida, refrescos, bebidas, vinos nacionales, impuesto,
servicio y música en vivo. ¡Todo incluido! por:

N$75.00
por adulto

N$35.00
menores de 12 años

Informes y Reservaciones al Telefono: 228-99-28

1. ¿Cómo se llama el café?
2. ¿Dónde está?
3. ¿Qué está incluido en el precio del *brunch*?
4. ¿A qué teléfono deben llamar Uds. para hacer las reservaciones?
5. ¿Cuántos nuevos pesos (N$) van a pagar Uds. si van con una niña de ocho años?
6. ¿Por qué es este domingo un buen día para invitar a su novio(a)? ¿Qué tiene esta fecha de especial?
7. ¿Qué estilo de música creen Uds. que van a oír durante el *brunch*? ¿Por qué?
8. ¿Se puede ir al *brunch* cualquier día de la semana? ¿Por qué o por qué no?
9. ¿Qué opinan Uds. de ir a un *brunch*? ¿Les parece una buena idea? ¿Por qué o por qué no? ¿Qué ventajas y desventajas tiene ir a un *brunch*?
10. ¿Cómo celebran Uds. algunas ocasiones especiales? ¿Adónde van con la familia? ¿Y con su pareja o con sus amigos?

Paso 2

Ahora digan adónde van Uds. y qué comen en las siguientes ocasiones. ¿Comen con su familia, su novio(a) o sus amigos? ¿Comen en su casa o en un restaurante? ¿Qué diferencia hay entre lo que comen en su casa y lo que generalmente piden en los restaurantes?

1. un día cualquiera de la semana cuando tienen que trabajar
2. los fines de semana
3. en las reuniones familiares
4. el Día de la Navidad
5. el Día de la Independencia
6. otros días festivos

¿Cuáles de las comidas que Uds. han mencionado son típicamente norteamericanas y cuáles son de otros países? (¿De qué países?)

Actividad 8: En un café al aire libre

En grupos de dos o tres, usen su imaginación para crear una historia sobre la pareja de la foto. Pónganles nombres, denles profesiones u oficios, imagínenlos solteros, casados, amigos o novios. Imagínenlos en una primera cita romántica, en una cita a ciegas, en un reencuentro después de muchos años de no haberse visto, discutiendo los términos del divorcio... Uds. deciden, pero traten de ser creativos. Después, comparen la historia que Uds. han creado con las que han creado otros miembros de la clase.

Actividad 9: ¿Qué pasa aquí?

En grupos de tres o cuatro, usen su imaginación y la ilustración que aparece aquí
para hablar de lo siguiente.

1. la relación que existe entre las tres chicas
2. la personalidad de cada una
3. lo que está pasando en la vida de cada una de ellas
4. lo que cada una de ellas va a hacer esta noche
5. los consejos que Uds. le darían a Julia
6. lo que le dirían a María
7. las preguntas que le harían a Susana
8. a cuál de las tres les gustaría tener de amiga

Actividad 10: Para conocernos mejor

En grupos de dos, háganse las siguientes preguntas.

1. ¿Cuál es la virtud que más admiras? ¿Cuál crees que es el peor defecto?
2. ¿Qué es más importante en un hombre o en una mujer: la belleza, la inteligencia o la personalidad?
3. Por lo general, ¿eres una persona alegre o un poco gruñona?
4. ¿Cuál de estas frases te describe mejor: "comprensivo(a)", "cariñoso(a)", "bondadoso(a)" o "un poco celoso(a)"?
5. ¿Eres un poco vanidoso(a) a veces?
6. Tu mejor amigo(a), ¿tiene un buen sentido del humor o te aburre a veces?
7. ¿Tú te consideras trabajador(a) o un poco haragán (haragana)?
8. ¿Siempre dices la verdad o eres un poco mentiroso(a)?
9. ¿Eres mandón (mandona) a veces? ¿Con quién?
10. ¿Prefieres ser muy inteligente o tener un físico estupendo?
11. ¿Eres buen cocinero (buena cocinera)? ¿Cuál es tu especialidad?
12. ¿Cuál es tu deporte favorito? ¿Cuánto tiempo hace que lo practicas?
13. Cuando tienes una cita, ¿adónde te gusta ir? ¿Qué te gusta hacer?
14. ¿Qué lugares de diversión frecuentas?
15. ¿Cuál es tu pasatiempo favorito?
16. ¿Prefieres asistir a una reunión familiar o viajar con un(a) amigo(a)?
17. ¿Coleccionas algo? ¿Qué? ¿Cuánto tiempo hace que empezaste tu colección?
18. ¿Te gusta reunirte con tus amigos a veces? ¿Dónde?
19. ¿Qué cosas te llaman la atención? ¿Qué cosas no te llaman la atención?
20. ¿Quiénes crees tú que son más egoístas, los hombres o las mujeres? ¿Por qué lo dices?

Dichos y refranes

Lee los siguientes diálogos en voz alta con un(a) compañero(a). Traten de averiguar el significado de los dichos en cursiva y de determinar si tienen equivalente en inglés.

1. —Marcela está muy enamorada de Daniel.
   —No sé por qué... ¡es tan antipático!

   —Bueno... *sobre gustos no hay nada escrito.*

2. —Yo le digo a Ernesto que no se case con Aurora sólo porque ella es bonita...
   —Es verdad. *La belleza y la hermosura poco duran.*

3. —No quiero casarme porque, como dice el refrán, *el amor es un pasatiempo que pasa con el tiempo.*

   —Eso no es verdad. Hace veinte años que mis padres están casados, y cada día se quieren más.

🔳 Y ahora... ¡escucha!

Vas a escuchar una cinta de la "Agencia Cupido" en la que cuatro personas se describen, dan sus datos personales y dicen qué características buscan en el hombre o la mujer de sus sueños. Lee lo siguiente antes de escuchar la cinta. Al escucharla, presta atención y trata de anotar los datos más importantes. Si no entiendes algo, escucha la cinta otra vez.

Víctor Alfonso Medina

Edad: _____

Lugar de nacimiento: _____

Ciudad donde vive: _____

Características físicas:

_____   _____

_____   _____

Cantante favorita: _____

Tipo de mujer que no soporta: _____

María Elena Sandoval

Lugar de nacimiento: _____

Edad: _____

Características físicas:

_____   _____

_____   _____

Lugar donde trabaja: _____

Pasatiempo favorito: _____

Otras aficiones: _____

Tipo de hombre que busca: _____

Juan Carlos Aguirre

Edad: _____

Lugar donde vive: _____

Estado civil: _____

Trabajo: _____

Aficiones: _____

                               _____

Tipo de mujer que busca: _____

Ana Luisa Vargas

Edad: _____

País de origen de sus padres: _____

Meta profesional: _____

Diversiones favoritas: _____   _____

                               _____   _____

Tipo de hombre que busca: _____

Vocabulario clave

Nombres
las aficiones   hobbies, interests
la amistad   friendship
la belleza, la hermosura   beauty
la cantidad   amount
el carácter   personality
la cita   date
el (la) cocinero(a)   cook
el defecto   shortcoming
el deporte   sport
el detalle   detail
la diversión   entertainment
la moneda   coin
el oficio   trade
la pareja   mate; couple
el pasatiempo   hobby, pastime
el rasgo   characteristic
la reunión familiar   family gathering
el sueño   dream
el (la) vendedor(a)   salesperson
la virtud   virtue

Verbos
aburrir   to bore
asegurar   to assure

coleccionar   to collect
compartir   to share
destacar   to point out
patinar   to skate
perderse (e → ie)   to miss out (on)
reunirse   to get together
seleccionar   to select, to choose
señalar   to indicate
soportar   to put up (with), to stand
tratar   to treat

Adjetivos
alegre   cheerful
asombrado(a)   astonished
comprensivo(a)   understanding
cualquier   any
galante   gallant
hermoso(a)   beautiful
vanidoso(a)   vain

Otras palabras y expresiones
el Día de Acción de Gracias
   Thanksgiving Day
en cuanto a   in regard to
hacer propaganda   to advertise

hacer realidad sus sueños   to make
    your dreams come true
llamar la atención   to interest
mal parecido(a)²   ugly

modestia aparte   modesty aside
practicar deportes   to play sports
pronto   soon
el sentido del humor   sense of humor

Para hablar de...

Algunas buenas cualidades
amable   polite, courteous
atento(a)   attentive
bondadoso(a)   kind
cariñoso(a)   loving
complaciente   pleasing,
    accommodating
digno(a) de confianza   trustworthy
discreto(a)   discreet

distinguido(a)   distinguished
fiel   faithful
paciente   patient
puntual   punctual
trabajador(a)   hard-working
una figura estupenda   a great figure
un físico estupendo   a great
    physique

Algunos defectos
celoso(a)   jealous
chismoso(a)   gossipy
dominante   domineering
egoísta   selfish
gruñón (gruñona)   grumpy

haragán (haragana), perezoso(a)   lazy
hipócrita   hypocritical
infiel   unfaithful
mentiroso(a)   deceitful, lying
mandón (mandona)   bossy

Cualidades y defectos

En parejas, conversen sobre lo siguiente usando el vocabulario que se ha presentado en esta lección.

1. las cualidades que Uds. consideran importantes en
    a. un esposo o una esposa
    b. un padre o una madre
    c. el presidente de una compañía
    d. un(a) secretario(a) privado(a)
    Expliquen por qué opinan de esa manera.
2. Los tres defectos que Uds. no podrían tolerar en un esposo o una esposa.
3. Defectos que Uds. notan en algunas personas que conocen. ¿Cuáles les pare-
    cen los peores? ¿Por qué?
4. Las cualidades y los defectos que tienen Uds.

---

²bien parecido(a): good-looking

LECCIÓN 6

Es mejor prevenir que curar

Haciendo ejercicio en Sevilla, España. Al fondo, la Torre del Oro.

En grupos

Actividad 1: ¡Sanos y fuertes!

Paso 1

¿Qué hay que hacer para llegar a tener "una mente sana en un cuerpo sano"? Completa la siguiente información antes de venir a clase. Luego reúnete con tres compañeros(as) para comparar notas.

¿Qué aspectos de mi salud y de mi condición física quiero mejorar?

1. _____
2. _____
3. _____
4. _____
5. _____

¿Qué necesito hacer para lograr lo que me propongo?

1. _____
2. _____
3. _____
4. _____
5. _____

¿Quién me va a ayudar? ¿Qué instituciones, organizaciones o productos me pueden ser útiles?

Personas _____

_____

Instituciones _____

Organizaciones _____

Productos _____

_____

Paso 2

Ahora compara tus planes y objetivos con los de tus compañeros(as). ¿Te parecen realistas sus planes? ¿Qué opinan ellos(as) de los tuyos? ¿Qué consejos pueden Uds. darse unos a otros?

Actividad 2: Al hacer ejercicio

En grupos de tres o cuatro estudiantes, lean las "reglas de oro". Después de leerlas, contesten las preguntas y decidan si pueden o si quieren seguir las reglas.

Las diez reglas de oro de un programa de ejercicio

1. Consulte a un médico antes de empezar un programa de ejercicio.
2. No trate de hacer más de lo que puede. Conozca sus propias limitaciones.
3. Aumente la intensidad de los ejercicios gradualmente.
4. Utilice zapatos apropiados para el tipo de ejercicio que va a hacer.
5. No use ropa apretada.
6. Haga ejercicio durante las horas del día en que no haga demasiado calor.
7. Evite la deshidratación tomando líquidos, preferentemente agua.
8. Pase por lo menos 30 minutos diarios haciendo ejercicio.
9. Disminuya la intensidad del ejercicio si su corazón late más rápido de lo que debe.
10. Sea constante en su programa de ejercicio.

---

1. ¿Hablaron Uds. con su médico(a) sobre la importancia del ejercicio físico? ¿Qué recomendaciones o consejos recibieron?
2. ¿Cuánto ejercicio pueden hacer Uds. sin sentirse agotados? ¿Qué tipo de ejercicio prefieren?
3. ¿Qué cantidad y qué tipo de ejercicio hacen Uds. ahora? ¿Qué esperan lograr dentro de una semana, un mes, un año?
4. ¿Qué marca de zapato prefieren para hacer ejercicio? ¿Por qué?
5. ¿Qué tipo de ropa usan para hacer ejercicio? ¿Por qué la prefieren?
6. ¿A qué hora del día hacen Uds. ejercicio? ¿Por qué lo hacen a esa hora?
7. ¿Cuánto tiempo dedican al ejercicio cada día? ¿Es suficiente?
8. ¿Chequean Uds. el latido de su corazón cuando hacen ejercicio?
9. De las "reglas de oro", ¿cuáles son las más fáciles y cuáles son la más difíciles de seguir para Uds.? ¿Por qué?

Fáciles	Difíciles
_____	_____
_____	_____
_____	_____
_____	_____
_____	_____

Actividad 3: ¡Pongámonos en forma!

Paso 1

En parejas, lean el siguiente anuncio y contesten las preguntas.

1. ¿En qué ciudad está el gimnasio? ¿Saben Uds. en qué país está?
2. ¿Cuál es la dirección del gimnasio?
3. ¿Cómo se llama la dueña del gimnasio?
4. ¿Cuánto cuesta ser socio(a)?
5. Si Uds. no quieren pagar la matrícula, ¿qué deben tratar de hacer?
6. ¿El gimnasio es sólo para mujeres? ¿Cómo lo saben Uds.?
7. Las personas a quienes no les gusta hacer ejercicio con máquinas, ¿van a encontrar algo que hacer en este gimnasio?
8. ¿Qué tipos de ejercicio ofrecen en el gimnasio?

Paso 2

Ahora representen una escena entre un(a) empleado(a) de un gimnasio, ansioso(a) de atraer a nuevos socios, y una persona que ha entrado a pedir información sobre los servicios que ofrecen allí.

Actividad 4: ¿Qué pasa aquí?

Mira el dibujo y habla con un(a) compañero(a) de lo que está pasando en el Gimnasio José Lalínea. Usen su imaginación. ¿Quiénes están allí? ¿Qué hacen? ¿Qué piensan? ¿Qué profesiones tienen? ¿Tienen problemas... sueños? ¿Cuánto pesan? ¿Cuánto peso perdieron? ¿Qué pueden y qué no pueden hacer en el gimnasio? ¿Cómo se sienten? Tú y tu compañero(a) van a darles vida y personalidad a todos los que se ven aquí. Comparen luego sus respuestas con las de otros compañeros de clase.

Actividad 5: ¿Padeces de estrés?

Paso 1

La tensión nerviosa puede perjudicar (*endanger*) la salud. ¿Qué tipo de personalidad tienes? Completa el siguiente cuestionario para ver si tienes las características de las personas propensas al estrés. Mientras más particularidades reconozcas,
más peligro corres de padecerlo (*to suffer from it*). Pero recuerda, es posible con-
trolar el estrés. Lo primero, sin embargo, es poder reconocerlo.

Sí   No

☐   ☐   1. Interrumpes a los demás cuando hablan.

☐   ☐   2. Te impacientas cuando ves a otros hacer cosas que tú puedes
hacer mejor y con más rapidez.

☐   ☐   3. Te enfadas cuando tienes que hacer cola o cuando te encuentras
en un embotellamiento de tráfico.

☐   ☐   4. Te es muy difícil permanecer sentado(a) sin hacer nada.

☐   ☐   5. Tienes más actividades cada día.

☐   ☐   6. Das golpecitos rápidos con los dedos o con los pies.

☐   ☐   7. A menudo usas lenguaje explosivo.

☐   ☐   8. Tienes obsesión con la puntualidad.

☐   ☐   9. Si juegas, lo haces para ganar.

☐   ☐   10. No te fijas en el lugar o el paisaje donde estás ni en las cosas
bellas.

☐   ☐   11. Levantas la voz ante la menor provocación.

☐   ☐   12. Te comparas con los demás.

☐   ☐   13. Gesticulas exageradamente cuando hablas.

Paso 2

Ahora reúnete con dos compañeros(as) y comparen los resultados. ¿Quién es el
(la) más propenso(a) al estrés?

Paso 3

¿Qué cosas pueden hacer para disminuir la tensión nerviosa?

Actividad 6: Nuestro menú semanal

Paso 1

En grupos de tres, preparen un menú semanal que sea nutritivo y bajo en calorías.
¡Recuerden que un exceso de grasas es muy malo para la salud! El menú para cada
día debe incluir los siguientes elementos:

2–3 raciones de carne, pollo, pescado, frijoles secos o huevos
2–3 raciones de leche, queso o yogur
2–4 raciones de frutas
3–5 raciones de vegetales
4–6 raciones de pan, cereal, arroz o pasta
Grasas y aceites en moderación

MODELO:

Desayuno:
1/2 toronja
  1 huevo pasado por agua
  1 rebanada de pan de trigo
  1 vaso de leche descremada

Almuerzo:
  1 sándwich de atún
  1 ensalada de lechuga y tomate
  1 manzana pequeña
  1 refresco de dieta

Cena:
  1 pechuga de pollo asada
    vegetales mixtos
  1 taza de arroz
  1 taza de ensalada de frutas
    opcional: café

Entre comidas:
  1 taza de caldo de vegetales
1/2 taza de yogur

Paso 2

Ahora comparen el menú que Uds. prepararon con el de otro grupo, teniendo en cuenta lo siguiente.

1. ¿Hay variedad de alimentos?
2. ¿Cumple las recomendaciones para los diferentes tipos de alimentos?
3. ¿Cuál tiene menos calorías?
4. ¿Cuál es más fácil de preparar?
5. ¿Cuál tiene más valor nutritivo?
6. ¿Cuál es más sabroso?

Actividad 7: La balanza, ¿amiga o enemiga?

En grupos de dos o tres estudiantes, comenten las ideas de Ana María, una chica cuyo objetivo es perder unas cuantas libras (*pounds*). ¿Creen Uds. que va a lograr su propósito si sigue pensando así? ¿Por qué o por qué no?

Ana María dice...
1. Yo no necesito hacer dieta; solamente necesito comer menos y mejor.
2. Puedo hacer dieta sola, sin ayuda de nadie.
3. Nunca voy a comer nada entre comidas.
4. Yo puedo comer todo lo que quiero si como poco.
5. Todas las calorías son iguales.
6. Las proteínas son el mejor alimento en una dieta.
7. El ejercicio despierta el apetito.
8. El consomé es el perfecto aliado en una dieta.
9. Es más fácil perder peso si no desayuno.
10. Las dietas no funcionan.

Actividad 8: ¿Qué preparamos para la cena?

Paso 1

Tú y un(a) compañero(a) piensan invitar a algunos amigos a cenar. Uds. quieren preparar una cena ligera porque uno de ellos está tratando de adelgazar (*lose weight*) y porque no tienen mucho tiempo para cocinar. Alguien les ha recomendado la siguiente receta. Léanla y contesten las preguntas que aparecen a continuación para determinar si les conviene prepararla.

Pollo al pimentón

1 pollo grande cortado en ocho pedazos

2 cebollas grandes

2 dientes de ajo

4 cucharadas de aceite

4 cucharadas de pimentón

1 taza de agua o de caldo (instantáneo)

2 pimientos dulces (ajíes) rojos grandes

4 ó 5 tomates

2 cucharadas de crema de leche agria

Sal y pimienta

Lave las piezas de pollo y séquelas. Pele las cebollas y córtelas en pedacitos. Pele el ajo y córtelo bien fino.

Ponga a calentar 2 cucharadas de aceite en una sartén grande. Póngales sal a las piezas de pollo; écheles pimienta y dórelas por porciones. Hacia el final, póngales un poco de pimentón. Retírelas del fuego.

Agregue la grasa que queda y sofría en ella la cebolla. Añada el resto del pimentón y sofría un poco más. Vuelva a colocar las piezas de pollo, incorpore el ajo y el agua o caldo, y deje cocinar a fuego lento durante unos 40 minutos.

Lave y pele los pimientos dulces (ajíes) y córtelos en tiritas. Sumerja los tomates en agua hirviendo unos segundos, para que la piel salga con facilidad; pélelos y córtelos en pedazos. Agréguelos al pollo unos 15 minutos antes de que se acabe de cocinar.

Retire las piezas de pollo, incorpore la crema agria y sazone con sal y pimienta. Sirva el pollo acompañado de la salsa.

Glosario culinario

la crema de leche agria   sour cream
la cucharada   tablespoon
el diente de ajo   clove of garlic
el pimentón   paprika
el pimiento dulce   bell pepper
la sartén   frying pan
la tirita   strip

cocinar   to cook
colocar   to place
dorar   to brown
incorporar   to add
sazonar   to season
sofreír   to fry lightly

1. ¿Cuáles son los ingredientes principales de la receta?
2. ¿Para cuántas personas creen Uds. que es la receta? ¿Por qué?
3. ¿Creen Uds. que la receta es baja en calorías o creen que tiene muchas calorías? ¿Por qué lo creen?
4. ¿Es una receta fácil o difícil de preparar?
5. ¿Cuánto tiempo calculan Uds. que van a necesitar para prepararla?
6. ¿Piensan preparar este plato? Si no, ¿qué otro plato podrían preparar?

Paso 2

Ahora escriban una receta para un entrante (*entrée*), una sopa, una ensalada o un postre que puedan servir en la cena[1].

Ingredientes

_____   _____

_____   _____

_____   _____

Preparación

_____

_____

_____

_____

_____

Suficiente para _____ personas

---

[1]Aprovechen para sus recetas, además del vocabulario de esta actividad, el vocabulario de la página 85.

Actividad 9: Si quieres llegar a viejo...

Paso 1

Tú y un(a) compañero(a) tienen un amigo cuyos hábitos perjudican su salud. Hagan una lista de las cosas que hace, que no debería hacer y de las cosas que no hace, que debería hacer.

Cosas que hace, que no debería hacer:

_____

_____

_____

_____

_____

_____

Cosas que no hace, que debería hacer:

_____

_____

_____

_____

_____

_____

Paso 2

Ahora prepárense para darle algunos consejos a su amigo, con la esperanza de que él cambie su estilo de vida. Uno de Uds. debe hacer el papel del amigo y darle respuestas a sus sugerencias sobre sus actividades físicas, su dieta, su falta de descanso, su actitud mental, etc.

Actividad 10: Para conocernos mejor

En grupos de dos, háganse las siguientes preguntas.

1. ¿Qué alimentos crees tú que son indispensables para tener buena salud?
2. ¿Te gusta más la comida italiana, la comida mexicana o la comida china?
3. Cuando comes pollo, ¿prefieres la pierna (el muslo) o la pechuga?
4. ¿Qué crees tú que es más nutritivo, el pollo, el pescado o la carne?
5. Con una ensalada, ¿prefieres comer una rebanada de pan o galletas?
6. ¿Te gusta el pan de trigo o prefieres comer pan blanco?

7. ¿Prefieres comer vegetales crudos o cocinados al vapor? ¿Qué vegetales tienen pocas calorías?
8. ¿Te gustan los huevos fritos o prefieres comer huevos duros? ¿Y los huevos pasados por agua?
9. Cuando cocinas, ¿usas recetas? (¿Tienes alguna receta especial?)
10. Quiero hacer espaguetis. ¿Qué utensilios necesito?
11. ¿Prefieres beber una taza de café o un vaso de leche? ¿Por qué?
12. ¿Crees que es una buena idea tomar leche descremada? ¿Por qué?
13. ¿Cómo te sientes hoy? ¿Te sientes agotado(a) a veces?
14. ¿Qué haces cuando estás exhausto(a)?
15. ¿Qué tipo de ejercicio te gusta hacer? (¿Vas a un gimnasio o tienes equipo de hacer ejercicios en tu casa?)
16. ¿Qué le aconsejas tú a una persona que quiere adelgazar y ponerse en buena forma?
17. ¿Qué haces tú para tener buena salud?
18. ¿Con qué frecuencia vas al médico? (¿Crees que debes ir más a menudo?)
19. ¿Hay alguien en tu familia que padezca del corazón?
20. ¿Tú te enfadas a veces? ¿Con quién? ¿Por qué?

Dichos y refranes

Lee los siguientes diálogos en voz alta con un(a) compañero(a). Traten de averiguar el significado de los dichos en cursiva y de determinar si tienen equivalente en inglés.

1. — Ana se cuida mucho. Come bien, duerme ocho horas al día... ¡Y toma vitamina C!
   — Es que ella cree firmemente que *es mejor prevenir que curar.*
2. — Quiero casarme contigo, mi vida, pero no tengo dinero... Vamos a ser muy pobres al principio.
   — ¡No me importa ser pobres, con tal de que estemos juntos! *Contigo, pan y cebolla...*
3. — A Raquel no le gusta el arroz, pero como tenía tanta hambre y no había otra cosa, se comió dos platos.
   — Bueno, hija, *a buena hambre, no hay pan duro.*
4. — A Paquito se le rompió su juguete favorito y se puso a llorar, pero su mamá le dio un helado y ahora se está riendo.
   — Como dice el dicho, *a barriga llena, corazón contento.*

Y ahora... ¡escucha!

Vas a escuchar un programa de radio en el que una experta en salud les ofrece algunos consejos a los oyentes. Lee lo siguiente antes de escuchar la cinta. Al escucharla, presta atención y trata de anotar los datos más importantes. Si no entiendes algo, escucha la cinta otra vez.

Nombre del programa: _____

Días en que se transmite: _____

Hora: _____

Nombre de la estación: _____

Nombre de la invitada de hoy: _____

Especialista en: _____

Tipo de actividad física de que habla: _____

Ventajas de esta actividad física:

V F   no la practica mucha gente

V F   es muy económica

V F   es apropiada para ambos sexos

V F   es especialmente apropiada para los jóvenes

V F   hacerla diez minutos al día reduce el riesgo de muchas enfer-
        medades

V F   mejora el funcionamiento de los pulmones

V F   fortalece los brazos

V F   alivia el estrés

V F   nos ayuda a perder peso

Consejos para los que practican este ejercicio:

1. Duración al comenzar a practicarlo: _____

2. Tipo de zapato: _____

3. Distancia a recorrer si se desea adelgazar: _____

▭ Vocabulario clave

Nombres

el alimento   food, nourishment
la balanza   scale
la barriga   belly
el caldo, el consomé   broth
la comida   food; meal
el corazón   heart
el cuerpo   body
el embotellamiento de tráfico   traffic jam
el equipo   equipment
la fila   line
la grasa   fat
el latido del corazón   heartbeat
la leche descremada   low-fat or skim milk
la libra   pound
la mente   mind
la pechuga   breast (chicken, turkey, etc.)
la pérdida   loss
el peso   weight
el pulmón   lung
la rebanada   slice
la receta   recipe
la regla   rule
el riesgo   risk
la salud   health
el (la) socio(a)   member
la taza   cup
la tensión nerviosa, el estrés   stress
el trigo   wheat

Verbos

adelgazar, perder (e → ie) peso   to lose weight
disminuir (yo disminuyo)   to decrease
enfadarse   to become angry
engañar   to deceive

fijarse   to notice
ganar   to gain; to win
latir   to beat, to palpitate
lograr   to achieve
padecer (de) (yo padezco)   to suffer from (*an illness or condition*)
pelar   to peel
perjudicar   to endanger
permanecer (yo permanezco)   to remain
pesar   to weigh
recorrer   to cover (*distance*)
sentirse (e → ie)   to feel (*physically or emotionally*)

Adjetivos

agotado(a), exhausto(a)   exhausted
agudo(a)   keen
apretado(a)   tight
bajo(a)   low
constante   persevering
crudo(a)   raw, uncooked
duro(a)   hard
fuerte   strong
nutritivo(a)   nourishing
perjudicial   damaging, bad
propenso(a)   prone (to)
sabroso(a), rico(a)   tasty

Otras palabras y expresiones

a menudo   often, frequently
estar a dieta   to be on a diet
hacer cola   to wait in line
hacer ejercicio   to exercise
levantar la voz   to raise one's voice
llegar a viejo   to reach old age
pasado por agua   soft-boiled
ponerse en forma   to get into shape
tener en cuenta   to keep in mind

Para hablar de...

Algunos tipos de ejercicio

la calistenia   calisthenics

la danza aeróbica   aerobic dancing

la natación   swimming

el yoga   yoga

levantar pesas   to lift weights

montar en bicicleta estacionaria
   to ride a stationary bicycle

Medidas usadas en la preparación de una receta

a gusto   to taste

la cucharadita   teaspoon

la onza   ounce

la pizca   dash

media taza   half a cup

un cuarto de taza   one-fourth of a cup

dos tercios de taza   two-thirds of a cup

Utensilios de cocina y maneras de cocinar

la cacerola   pan

el colador   strainer

el molde   baking pan

la olla, la cazuela   pot

asar   to broil, to roast

cocinar al vapor   to steam

freír[1]   to fry

hervir (e → ie)   to boil

hornear, cocinar al horno   to bake

Mente sana en cuerpo sano

En parejas, conversen sobre lo siguiente usando el vocabulario que se ha presentado en esta lección.

1. el tipo de ejercicio que prefieren y por qué lo prefieren
2. los tipos de ejercicio que no les gustan y por qué no les gustan
3. si les gusta cocinar o no y por qué
4. su receta preferida y lo que necesitan para prepararla, indicando las cantidades de cada uno de los ingredientes
5. los utensilios de cocina que tienen y los que piensan comprar
6. la manera en que prefieren cocinar los distintos tipos de alimentos: carne, vegetales, pollo, pescado, etc.
7. la manera de cocinar que creen que es la mejor o más saludable (*healthy*) y por qué piensan así

---

[1]**frío, fríes, fríe, freímos, fríen** (presente de indicativo).

LECCIÓN 7

Atletas y excursionistas

Preparándose para hacer una caminata en el Parque Nacional Torres del Paine, Chile.

En grupos

Actividad 1: Mi peor fin de semana

Paso 1

En parejas, túrnense (*take turns*) para leer, en voz alta, esta carta que Pepe le escribió a un amigo.

Estimado Juan,

Acabo de regresar de las montañas, donde pasé el peor fin de semana de mi vida. Para desgracia mía, acepté la invitación de unos amigos para ir a pasar dos días en una montaña a orillas de un lago, en un lugar muy pintoresco.

Yo creía que íbamos a alquilar una cabaña, pero los demás prefirieron acampar. Cuando llegamos era muy tarde, y no tuvimos tiempo para armar la tienda de campaña. Tuvimos que dormir a la intemperie, en nuestras bolsas de dormir. A medianoche empezó a llover. Todos corrimos al coche y, como es natural, no pudimos dormir.

Al día siguiente fuimos a pescar, pero no tuvimos suerte. Luego intentamos cazar, pero también regresamos con las manos vacías. No habíamos llevado comida, porque pensábamos vivir de la pesca y de la caza, así que pasamos un hambre horrible. Para entretenernos, uno de los amigos insistió en ir a pasear en bote, pero como nadie sabía remar bien, no llegamos a ninguna parte. Al fin, el domingo por la noche, cansados, hambrientos y llenos de picaduras de mosquitos, regresamos a la ciudad. ¡Es la primera y última vez que acepto una invitación para ir a acampar!

Escríbeme pronto y cuéntame de tus vacaciones, que seguramente fueron mejores que las mías.

Saludos,

Pepe

Paso 2

Ahora imaginen que tienen que tratar de convencer a Pepe para que vaya a acampar con Uds. Anoten lo que le van a decir para convencerlo de que esta vez va a tener una experiencia muy diferente y muy agradable. Después, comparen lo que Uds. van a decirle con lo que el resto de la clase le va a decir y decidan qué pareja tiene las mejores ideas.

_____

_____

_____

_____

_____

Actividad 2: De excursión

Paso 1

Antes de venir a clase, prepárate para contarles a tus compañeros la historia de una excursión al aire libre que fue un fracaso. Incluye la siguiente información, exagerando los detalles para hacer cómica tu narración.

1. ¿Adónde fuiste, cuándo y con quién(es)?

   _____

   _____

   _____

2. ¿Cómo llegaron Uds. a su destino? ¿Sucedió algo agradable, desagradable o cómico durante el viaje?

   _____

   _____

   _____

3. ¿Cuáles eran sus planes? ¿Qué pensaban hacer?

   _____

   _____

   _____

4. ¿Qué hicieron y qué no pudieron hacer? ¿Por qué?

   _____

   _____

   _____

5. ¿Qué tiempo hizo?

   _____

   _____

   _____

6. ¿Qué problemas tuvieron? ¿Con quién(es)? ¿Por qué?

_____

_____

_____

7. ¿Qué cosas les gustaron o no les gustaron?

_____

_____

_____

8. ¿Cómo fue el viaje de regreso? ¿Cómo lo hicieron? ¿A qué hora llegaron?

_____

_____

_____

9. ¿El fin de semana fue malo para todo el grupo o sólo para ti? ¿Por qué?

_____

_____

_____

10. ¿Tuvo alguien la culpa de todo esto? ¿Quién? ¿Por qué? ¿Tomaste alguna decisión cuando regresaste?

_____

_____

_____

Paso 2

En grupos de dos o tres estudiantes, cuéntense sus historias. Uds. pueden repasar sus notas antes de contar su propia historia, pero no deben mirarlas al contarla.

Paso 3

Ahora cuéntense espontáneamente, sin preparación previa, su mejor fin de semana al aire libre.

Actividad 3: Preparativos para una excursión

En parejas, túrnense para leer el siguiente anuncio y después contesten las preguntas que aparecen a continuación.

Visiten nuestra tienda este fin de semana para proveerse de todo lo que necesitan para

- ir a acampar
- practicar alpinismo
- ir de pesca
- ir de picnic

El Excursionista

Tenemos

- tiendas de campaña
- linternas
- bolsas de dormir
- cañas de pescar
- estufas
- mochilas

¡Todo a mitad de precio!

1. ¿Cuándo tienen la liquidación en la tienda "El excursionista"?
2. ¿Qué puedo comprar si quiero ir a acampar?
3. Tengo un amigo que practica alpinismo y le quiero comprar un regalo. ¿Qué me sugieres?
4. Voy a ir de pesca con mi papá. ¿Qué podemos conseguir en la tienda a mitad de precio?

Actividad 4: Dos semanas de vacaciones

Paso 1

La clase se dividirá en grupos para planear unas vacaciones dedicadas completamente a las actividades al aire libre. Elige tu grupo según el lugar donde prefieres pasarlas.

la montaña	el desierto	un parque nacional	una selva tropical
la playa	una isla	un bosque	otro lugar

Paso 2

Ahora discutan lo siguiente para llegar a un acuerdo entre los miembros del grupo.

1. ¿A qué lugar van a ir? ¿Cuándo van a ir? ¿Van a acampar o van a hospedarse en una cabaña, hostal u hotel? ¿Cómo van a llegar a su destino? ¿Cuánto tiempo necesitan para viajar? ¿Cuánto tiempo van a estar allí?
2. ¿Qué arreglos necesitan hacer para dejar el trabajo, los estudios, la casa, etc.?
3. ¿Qué cosas necesita llevar el grupo? ¿Cuáles de estas cosas ya tienen Uds., y cuáles tendrán que comprar? ¿Quién va a hacer las compras? ¿Cuánto le va a costar a cada uno(a)? ¿Qué ropa y qué otras cosas necesita llevar cada persona?
4. ¿Qué actividades quieren planear para los días que van a estar allí? ¿Qué lugares o atracciones de la zona piensan visitar?

Actividad 5: ¿Qué pasa aquí?

Mira el dibujo y habla con un(a) compañero(a) de lo que estas personas hicieron el fin de semana pasado. Usen su imaginación. ¿Adónde fue el grupo de amigos? ¿Quiénes se divirtieron y quiénes se aburrieron y por qué? ¿Qué creen Uds. que le gusta hacer a cada uno de ellos? ¿Qué tiempo hizo? ¿Cuánto tiempo creen Uds. que pasaron allí? ¿Qué otras cosas pueden hacer mientras están en ese lugar? ¿Quiénes creen Uds. que van a pasar otro fin de semana allí y quiénes probablemente no van a volver? ¿Por qué?

Actividad 6: Las grandes figuras del deporte

Paso 1

En grupos de tres o cuatro estudiantes, preparen una serie de minibiografías de grandes figuras del baloncesto, del béisbol, del tenis, del fútbol americano, del patinaje y de otros deportes. Traten de dar la mayor información posible sobre cada figura.

Paso 2

Ahora utilicen las minibiografías para el juego "¿Quién soy yo?" Un miembro de cada grupo debe hacer el papel de una de las grandes figuras y darle información al resto de la clase para que trate de adivinar su identidad. Sigan jugando hasta que se hayan utilizado todas las minibiografías.

> MODELO: — Nací en Cuba.
> — Me refugié en México en 1995.
> — Soy uno de los jugadores de los Marlins.
> — Soy lanzador.
> — Fui seleccionado el mejor jugador de la Serie Mundial en 1997.
> — Soy Liván Hernández.

Actividad 7: Comentaristas deportivos

Paso 1

Con un(a) compañero(a), hablen de programas deportivos que ven en la televisión o escuchan en la radio. ¿Cuál(es) les gusta(n) más? ¿Por qué? ¿Qué comentaristas les gustan y cuáles no les gustan? ¿Cómo es su estilo para hacer reportajes, narrar eventos deportivos y entrevistar a atletas? Expliquen el por qué de sus preferencias.

Paso 2

Representen una entrevista entre un(a) locutor(a) famoso(a) y una figura importante del deporte. Sean creativos y traten de comunicar la personalidad de ambos personajes. Preséntenle su entrevista al resto de la clase.

Actividad 8: ¡Hablemos de deportes!

Reúnete con uno(a) o dos compañeros(as) y túrnense para leer los titulares (*headlines*) que aparecen en el contenido (*table of contents*) de la revista *El Mundo del Deporte* y contesten las siguientes preguntas.

EL MUNDO DEL DEPORTE

2 Cartas al editor

4 EL JUGADOR MÁS VALIOSO DE LA LIGA
  Rafael Viñas anota una canasta a último momento... ¡otra vez!

7 UNA ENTREVISTA
  El gran bateador venezolano Daniel Torres nos habla de béisbol

11 EL MEJOR ARQUERO DE LA LIGA DE FÚTBOL
  José Antonio piensa retirarse

18 LA RAQUETA DE ORO
  Vuelve a causar sensación la tenista Rocío Vargas

29 LLEGÓ A NUESTRO PAÍS EL FÚTBOL AMERICANO
  Se jugarán dos partidos de exhibición

41 OLIMPIA VS. LOS SUREÑOS
  El equipo de Olimpia empata con el de los Sureños en el partido
  más sensacional de la temporada

---

1. ¿Qué palabras y frases creen Uds. que van a encontrar en cada artículo?
2. ¿Cómo creen Uds. que empezará cada artículo? Escriban la primera oración de cada uno.
3. ¿Cuál de los artículos le interesará más a cada uno(a) de Uds.?
4. El fútbol ha llegado a los Estados Unidos y el fútbol americano comienza a jugarse en algunos países hispanos. ¿Cuál creen Uds. que tendrá más éxito? ¿Por qué?

Actividad 9: La transformación de Alberto

Paso 1

Alberto es lo que en inglés se llama *couch potato*. [Esta expresión no tiene equivalente en español; literalmente sería "papa de sofá", pero en español a una persona así se le llama simplemente un(a) perezoso(a).] En grupos de tres o cuatro estudiantes, contesten las siguientes preguntas para decidir qué van a hacer para convertir a Alberto en un atleta. ¡Buena suerte!

1. ¿Qué le van a decir para convencerlo de que tiene que apagar el televisor y levantarse?
2. ¿Cómo van a llevarlo al lugar de entrenamiento?
3. ¿Qué tipos de ejercicio quieren obligarle a hacer? ¿Cómo lo van a obligar a hacerlos?
4. ¿Cuáles son los cinco deportes principales que van a hacerle practicar? (Eviten el boxeo y la lucha libre por seguridad personal.)
5. ¿Cómo van a recompensar o castigar a Alberto de acuerdo con su progreso en los deportes?
6. ¿Cómo van a ayudarlo cuando tenga dolores musculares o se tuerza un tobillo?
7. ¿Dónde van a esconderse Uds. cuando Alberto los amenace de muerte?

Paso 2

Para poner a prueba (*test*) la eficacia de sus tácticas, representen escenas en las cuales llevan a cabo (*carry out*) cada una de ellas. Una persona del grupo hará el papel de Alberto.

Paso 3

Comparen sus planes con los del resto de la clase y seleccionen las mejores ideas.

Actividad 10: Para conocernos mejor

En grupos de dos, háganse las siguientes preguntas.

1. ¿Alguna vez aceptaste una invitación "para desgracia tuya"? (¿Qué pasó?)
2. ¿Prefieres acampar en la playa, en la montaña o a orillas de un lago? (¿Por qué?)
3. ¿Prefieres pasar la noche en una cabaña o a la intemperie en tu bolsa de dormir?
4. ¿Hay alguien en tu familia a quien le guste ir de pesca? (¿De caza?)
5. ¿Qué cosas tienes tú para ir a acampar y qué necesitas comprar?
6. Mi prima odia acampar. ¿Tú crees que tú y yo podemos convencerla para que vaya?
7. Si tú y tus amigos van a pasear en bote, ¿quiénes reman?
8. ¿Hay algún lugar pintoresco cerca de aquí que podamos visitar?
9. ¿Crees que es peligroso (*dangerous*) practicar el alpinismo? (¿Por qué?)
10. La última vez que participaste en una actividad al aire libre, ¿te aburriste o te divertiste?
11. Si tú y yo vamos de pesca, ¿crees que vamos a pescar mucho o que vamos a volver con las manos vacías?

12. Cuando llegas tarde a tu casa y no hay nada que comer, ¿cocinas o pasas hambre?
13. ¿Quién crees tú que es el jugador más valioso de la liga de básquetbol? ¿Y de la liga de béisbol?
14. ¿Cuál es tu equipo favorito de fútbol americano? ¿Crees que va a ganar este año?
15. ¿Quién crees tú que es el mejor locutor deportivo?
16. ¿Qué piensas tú de la lucha libre?
17. ¿Tú crees que hay más aficionados a la lucha libre o al boxeo?
18. ¿Prefieres jugar al tenis de mesa o a los bolos?

Dichos y refranes

Lee los siguientes diálogos en voz alta con un(a) compañero(a). Traten de averiguar el significado de los dichos en cursiva y de determinar si tienen equivalente en inglés.

1. —Mi equipo está ganando ochenta a sesenta y cinco. ¡Esta vez salimos campeones!
   —*No cantes victoria antes de tiempo.* Todavía faltan veinte minutos de juego.

2. —Mauricio está tomando seis clases y tiene práctica de básquetbol todas las tardes.
   —¡Sí, y le va mal en todo!
   —Es que, como bien dicen, *el que mucho abarca, poco aprieta.*

3. —Ayer Norberto Cáceres fue elegido el mejor jugador de su equipo.
   —¡Y pensar que cuando comenzó, nadie tenía fe (*faith*) en él!
   —Sí, pero él se esforzó (*he worked hard*) y demostró que *querer es poder.*

Y ahora... ¡escucha!

Vas a escuchar las noticias deportivas de la semana. Lee lo siguiente antes de escuchar la cinta. Al escucharla, presta atención y trata de anotar los datos más importantes. Si no entiendes algo, escucha la cinta otra vez.

Baloncesto

Nombre de los equipos: ———————————————————

———————————————————————————————————

Jugador más valioso: ————————————————————

Anotación final: ——————————————————————

Equipo ganador: ———————————————————————

Posición actual del equipo ganador: ————————————————

Béisbol

Equipos que jugaron: ————————————————————

———————————————————————————

Nombre del bateador que ganó el juego: ——————————————

Anotación final: ——————————————————————

Número de carreras que permitió el lanzador del Almendares: ——————

Tenis

Evento que se va a celebrar: ———————————————————

Cuándo empieza: ————————————————————————

Tenistas que han causado gran sensación este año: ————————————

Personas famosas que estarán presentes: ——————————————

———————————————————————————————————

Fútbol

Equipos que jugaron: ————————————————————

Equipo vencedor: ——————————————————————

Anotación final: ——————————————————————

Vocabulario clave

Nombres

el (la) aficionado(a)   fan
el alpinismo   mountain climbing
la anotación   score
el (la) arquero(a)   goalkeeper
el (la) bateador(a)   batter
la bolsa (el saco) de dormir
   sleeping bag
el bote, la barca   boat
la cabaña   cabin
la canasta   basket, field goal
la caña de pescar   fishing rod
la carrera   run (*baseball*); race
la caza   hunting
la culpa   blame
el (la) delantero(a)   forward
el destino   destination
el empate   tie score
el entrenamiento   training
la estufa de campamento   camp
   stove
el jonrón, el cuadrangular   home
   run
el (la) lanzador(a)   pitcher
la lesión   injury
la liga   league
la linterna   lantern, lamp
el (la) locutor(a)   announcer,
   broadcaster
la lucha libre   wrestling
la mochila   backpack
el patinaje   skating
la pesca   fishing
la picadura   bite, sting
el punto, el tanto   point
la tienda (la casa) de campaña   tent

el tobillo   ankle
la ventaja   lead

Verbos

abarcar   to undertake, to cover
acampar   to camp
amenazar   to threaten
anotar, marcar   to score
cazar   to hunt
esconder(se)   to hide
entretenerse (*conj. like* **tener**)   to
   entertain oneself
hospedarse   to stay (*e.g., at a hotel*)
remar   to row
torcer (o → ue)   to twist
vencer   to defeat

Adjetivos

agradable   pleasant
empatado   tied
hambriento(a)   starving
invicto(a)   undefeated
pintoresco(a)   picturesque

Otras palabras y expresiones

a orillas de   on the shores of
a un paso de   one step away
al aire libre, a la intemperie
   outdoors
armar una tienda de campaña
   to pitch a tent
con las manos vacías   emptyhanded
para desgracia mía   unfortunately
   for me
pasar hambre   to go hungry
pasear en bote   to go boating

Para hablar de...

Los deportes individuales
el atletismo   track and field
el boliche, los bolos   bowling
esquiar a campo traviesa   cross-country skiing
el frontón con raqueta   racquetball
la gimnasia   gymnastics
el tenis de mesa, el ping-pong   ping-pong
el tiro con arco   archery

Dónde se practican los deportes
el campo de golf   golf course
el estadio   stadium
la pista   track; court; skating rink
la pista de carreras   race track

Cómo se practican los deportes
agarrar   to catch
pasar   to pass
pegarle a la pelota   to hit the ball
servir (e → i)   to serve
tirar   to throw, to shoot

Los deportes

En parejas, conversen sobre lo siguiente usando el vocabulario que se ha presentado en esta lección.

1. los deportes que practican, cuándo y dónde los practican y con quiénes
2. Si a veces simplemente son espectadores. Si prefieren ir a un estadio, a una pista de carreras o mirar los partidos o los juegos en la tele.
3. los deportes que no les interesan y por qué
4. Los términos que usarían para describir las acciones de los jugadores en un partido de:
   a. básquetbol
   b. béisbol
   c. tenis

LECCIÓN 8

- ◆ *Días de fiesta*
- ◆ *Celebraciones hispanas*
- ◆ *Signos del zodíaco*
- ◆ *Supersticiones*
- ◆ *Para conocernos mejor*

Cosas de ayer y de hoy

Una pareja de andaluces, celebrando la Feria de Sevilla.

En grupos

Actividad 1: Fechas memorables

¿Cuáles son algunas de las principales fiestas que se celebran en este país? Trabaja con dos o tres compañeros para encontrar en la columna B las fechas que corresponden a las descripciones en la columna A.

A

1. Es el Día de la Independencia.
2. Los niños se disfrazan y van de casa en casa pidiendo dulces.
3. Es el Día de los Enamorados.
4. Los cristianos celebran el nacimiento de Jesús.
5. Es el Día de Acción de Gracias.
6. Celebramos la llegada de un nuevo año.
7. Los judíos celebran el festival de las luces.
8. Los hijos honran a su madre este día.
9. Mucha gente se pone ropa de color verde este día.
10. Se celebra el Día de los Trabajadores.
11. Se celebra la llegada de Cristóbal Colón al Nuevo Mundo.
12. Se honra la memoria de los soldados que murieron por la patria.
13. Es el día en que honramos a nuestros padres.
14. Celebramos el Día de la Bandera.

B

a. el primero de enero
b. el 14 de febrero
c. el 17 de marzo
d. el segundo domingo de mayo
e. el último lunes de mayo
f. el 14 de junio
g. el tercer domingo de junio
h. el 4 de julio
i. el primer lunes de septiembre
j. el 12 de octubre
k. el 31 de octubre
l. el cuarto jueves de noviembre
m. durante ocho días en el mes de diciembre
n. el 25 de diciembre

Actividad 2: ¿Qué celebramos?

La clase se dividirá en cuatro grupos para el siguiente juego. Los miembros de cada grupo deben escribir nombres de diferentes días festivos en tarjetas pequeñas, doblarlas y pasarlas a otro grupo. Después, todos los miembros del grupo menos uno leerán una de las tarjetas. La persona que no la ha leído tiene que tratar de adivinar cuál es la celebración, haciéndoles preguntas a los otros miembros del grupo, que sólo contestarán "sí" o "no". (Por ejemplo: ¿En este día la gente canta canciones especiales?) No se permite preguntar ni por la fecha ni por el mes en que se celebra la fiesta. Si al cabo de (*after*) cuatro minutos la persona no ha podido adivinar cuál es la celebración, debe darse por vencida (*give up*) diciendo: "Me doy por vencido(a)". Sigan jugando hasta que todos hayan tenido la oportunidad de tratar de adivinar un día festivo.

Actividad 3: Una celebración nueva

Paso 1

En algunos países hispánicos se celebra el Día de la Amistad, una celebración que no existe en Estados Unidos. ¿Por qué no crearla? En grupos de cuatro o cinco estudiantes, decidan lo siguiente.

1. ¿En qué fecha se va a celebrar el Día de la Amistad? Expliquen por qué escogen esa fecha.
2. ¿Qué cosas puede hacer la gente por sus amigos ese día?
3. ¿Qué canciones, comida u otras tradiciones quieren que se asocien con ese día?
4. ¿Qué van a hacer Uds. para propagar la idea del Día de la Amistad?

Paso 2

Ahora diseñen Uds. una tarjeta apropiada para enviarla el Día de la Amistad. Comparen sus ideas con las de otros grupos y, entre todos, escojan las mejores ideas y voten por la tarjeta más original.

CALLE C OCHO

DOMINGO, 13 DE MARZO
12 - 7 PM
CALLE OCHO
4 - 27 AVENIDA

LA FIESTA CALLEJERA MAS GRANDE DE
ESTADOS UNIDOS, ES EL EVENTO
CUMBRE DE CARNAVAL MIAMI. ABARCA
23 CUADRAS DE LA PEQUEÑA HABANA,
CON MUSICA, BAILE, FOLKLORICO Y
COMIDAS INTERNACIONALES.
DISFRUTE DE:

* Escenarios con los mejores grupos musicales
  de artistas internacionales.
* Kioscos de comida que ofrecen una variedad
  de platos para su deleite.
* Grupos folklóricos de América Latina.
* Sitios donde probar exquisitas variedades de
  muestras.
* Sitios especiales para los niños con payasos,
  premios, y muchos regalos y sorpresas.
* servicio de transporte Metrorail

Para despedir otro año de festival,
a las 7:00 PM rompen
Fuegos Artificiales
que iluminan el cielo de
la Pequeña Habana

¡NOS VEMOS EN CALLE OCHO!

CARNAVAL MIAMI KIWANIS OF LITTLE HAVANA

Actividad 4: Carnaval en Miami

Paso 1

En grupos de cuatro estudiantes, lean el anuncio que
aparece a continuación y contesten las preguntas.

1. ¿Qué organización patrocina el evento?
2. ¿Cuándo y dónde se celebra?
3. ¿Cuántas horas dura la fiesta?
4. ¿Qué va a pasar a las siete de la noche?
5. ¿Qué atracciones y actividades especiales se ofrecen en el festival?
6. ¿Cuál creen Uds. que es la nacionalidad de los
   organizadores del evento? ¿Por qué lo creen?
7. ¿En qué otras ciudades de Estados Unidos celebran
   los carnavales?
8. ¿Cuál es una de las fiestas de carnaval más populares del mundo? ¿Qué saben Uds. sobre ella?

Paso 2

Ahora imagínense que Uds. están en el festival. De todas las cosas que es posible hacer allí, ¿cuáles prefieren hacer Uds. y por qué? Comparen sus respuestas con las de otros grupos.

Paso 3

Describan la última celebración pública a la que asistieron. ¿Dónde y cuándo fue? ¿Qué evento o día festivo se celebraba? ¿Cómo fue? ¿Qué hicieron Uds.? ¿Se divirtieron? ¿Piensan volver a asistir a una celebración de este tipo? ¿Por qué?

Actividad 5: ¿Qué pasa aquí?

Mira el dibujo y habla con un(a) compañero(a) de lo que ven. Describan la tradición hispánica que ilustra, con el mayor detalle posible. ¿Qué día se está celebrando? ¿Qué hacen las personas?

Actividad 6: La astrología: ¿Ciencia o ficción?

Paso 1

Algunas personas creen que los astros rigen (*rule*) su vida y que las características de un individuo dependen del signo al cual pertenece. ¿Qué crees tú? Con dos o tres compañeros, lee el siguiente horóscopo, turnándose (*taking turns*) para leer en voz alta lo que corresponde a cada signo. A medida que lean (*As you read*), clasifiquen las características de cada signo como positivas o negativas. Comparen sus características personales con las de su signo y comparen las características de sus amigos y familiares con las del signo que le corresponde a cada uno de ellos.

El horóscopo

ARIES (*21 de marzo – 20 de abril*)

Signo de Fuego. Corresponde a personas muy apasionadas. Su palabra clave es SOY. Alegre pero guerrero como el planeta Marte, que es su regente. Sabe mandar y siempre se sale con la suya. Este signo da grandes pensadores. El primero del zodíaco, es el primero siempre. Nació para ser líder y lo sabe. Muchos son grandes periodistas, escritores, médicos y militares. Charles Chaplin y Juan Sebastián Bach eran hijos de Aries.

TAURO (*21 de abril – 21 de mayo*)

Signo de Tierra. Su palabra clave es TENGO. Su mayor rasgo de carácter es un sentido profundo de la posesión. Son grandes trabajadores y amantes de la belleza (Venus es su planeta regente). Tienen inclinación a la música, a la decoración y al hogar. Los de este signo son obstinados, así que no trate de hacerles hacer algo que no quieren. Sigmund Freud y Salvador Dalí eran hijos de Tauro.

GÉMINIS (*22 de mayo – 21 de junio*)

Signo de Aire. Su palabra clave es PIENSO. Son inteligentes, inquietos y muy variables. Son grandes comunicadores. Su planeta regente es Mercurio. Las personas de este signo se pasan la vida buscando algo sin saber qué. El signo de Géminis lo representan los gemelos y, en efecto, los hijos de este signo tienen una personalidad doble. John F. Kennedy y la reina Victoria de Inglaterra pertenecen a este signo.

CÁNCER (*22 de junio – 23 de julio*)

Signo de Agua. Su palabra clave es SIENTO. Este hijo de la Luna es emocional, de humor cambiante y divertido. Tiene muy desarrollada la vena maternal. Los de este signo son como una placa fotográfica, pues imprimen todas las sensaciones y no las olvidan jamás. Los hijos de Cáncer parecen duros pero, en realidad, son tiernos. Cancerianos famosos: Ernest Hemingway y Helen Keller.

LEO (*24 de julio – 23 de agosto*)

Signo de Fuego. Su palabra clave es QUIERO. Son imperiosos, apasionados, dominantes y grandes líderes. Nacieron para mandar. Son muy generosos, pero no les gusta que le discutan su mandato; siempre quieren ser el centro del universo. Muchos hijos o hijas de Leo se convierten en estrellas del cine o de la política. Generalmente los hijos de Leo se casan más de una vez. Leos famosos: Napoleón Bonaparte y Lucille Ball.

VIRGO (*24 de agosto – 23 de septiembre*)

Signo de Tierra. Su palabra clave es ANALIZO. Son personas muy cuidadosas, organizadas, metódicas y reservadas. Los hijos de Virgo son muy corteses y aparentemente se llevan bien con todo el mundo pero, supremos dueños de la diplomacia, siempre tienen un recurso válido para no hacer lo que no quieren. Como Mercurio es su planeta regente, triunfan en el mundo de las comunicaciones. Virgos famosos: León Tolstoy y Sofía Loren.

LIBRA (*24 de septiembre – 23 de octubre*)

Signo de Aire. Su palabra clave es PESO. Planeta regente: Venus. Las personas de este signo son muy serenas y estables, y están simbolizadas en la balanza de la justicia. Los libranos pesan el pro y el contra de todas las opciones. Los hijos de Libra son indecisos, pero eso es porque buscan la verdad. Parecen llevar el peso del mundo sobre sus poderosas espaldas, pero nunca se quejan y siempre tienen una sonrisa para todos. Libranos famosos: Franz Liszt y Sara Bernhardt.

ESCORPIÓN (*24 de octubre – 22 de noviembre*)

Signo de Agua. Su palabra clave es DESEO. Sus planetas regentes son Plutón y Marte. Las personas nacidas bajo este signo son leales y románticas. La valentía, la acción y el amor por el trabajo son algunas de sus características. Tienen una aguda intuición y generalmente son introvertidas. Escorpiones famosos: Edgar Allan Poe y Marie S. Curie.

SAGITARIO (*23 de noviembre – 21 de diciembre*)

Signo de Fuego. Su palabra clave es VEO. Es un signo de Fuego, que significa la llama movible, lo cambiante. Son personas simpáticas, muy amantes de la humanidad, aventureras, inquietas y generosas. Su planeta, Júpiter, es el regente del talento y del éxito. Son idealistas y pacifistas. Sagitarios famosos: Winston Churchill y Steven Spielberg.

CAPRICORNIO (*22 de diciembre – 20 de enero*)

Signo de Tierra. Su palabra clave es USO. Con Saturno como regente, estas personas son profundas, pesimistas, obedientes y muy trabajadoras. Tienen energía interior y una gran fuerza de voluntad. Son serios, reflexivos y muy amantes del hogar, pero son capaces de manipular a todo el mundo. Capricornianos famosos: Martin Luther King y Juana de Arco.

ACUARIO (*21 de enero – 19 de febrero*)

Signo de Aire. Su palabra clave es SÉ. El Acuario es una persona tan libre que no siente respeto ni por las tradiciones ni por los convencionalismos. Su regente es el planeta Urano. Pueden llegar a ser héroes o santos, porque aman las grandes causas. Detestan que los comparen con otras personas. Hijos famosos de este signo: Ronald Reagan y Franklin D. Roosevelt.

PISCIS (*20 de febrero – 20 de marzo*)

Signo de Agua. Su palabra clave es CREO. Su regente es Neptuno, y por eso viven en un mundo de sueños, ideales, escapismos... Son seres de una sensibilidad extrema, pero con mucha imaginación, por lo que casi es válido caracterizarlos no sólo como CREO sino también como SUEÑO. Piscianos famosos: Elizabeth Taylor y Federico Chopin.

Paso 2

En general, ¿son más las semejanzas o son más las diferencias que existen entre la personalidad de cada individuo y las características que le corresponden según su signo? Comparen sus respuestas con las del resto de la clase.

Paso 3

Compartan sus opiniones sobre la astrología. ¿La consideran simplemente una superstición, o creen que hay algo de cierto en ella? ¿Por qué?

Actividad 7: Supersticiones de los niños... y de los adultos

Paso 1

Antes de venir a clase, haz una lista de las supersticiones y de las cosas imaginarias en las que creías de niño(a).

Paso 2

En grupos de tres o cuatro, comparen sus listas y también lo que les decían sus padres o hermanos mayores en cuanto a las cosas que creían. En general, ¿apoyaban o refutaban sus ideas? ¿Por qué?

Paso 3

Ahora la clase va a hablar de algunas supersticiones que tienen muchos adultos. El (La) profesor(a) va a escribir en la pizarra una lista de ellas. Después, cada estudiante va a indicar en cuáles de ellas cree. ¿Cuántos estudiantes de la clase creen en cada superstición? ¿Hay algunas sorpresas?

Actividad 8: Las opiniones están divididas

En grupos de cuatro estudiantes, representen una escena entre cuatro personas que se encuentran en una fiesta. Comiencen con el siguiente fragmento de conversación, y después continúenla, manteniéndose fieles a las opiniones ya expresadas por los personajes. Pueden mencionar otras supersticiones que conozcan, narrar anécdotas que parezcan confirmarlas o negarlas, etc.

ALEJANDRO(A)   — Yo, francamente, no veo por qué no se acepta la astrología como una ciencia, puesto que se sabe que la luna, por ejemplo, tiene una gran influencia en el comportamiento de las personas. ¿Por qué no los planetas... ?

LUIS(A)   — A mí me llaman supersticioso(a) porque siempre llevo en mi cartera una pata de conejo. Les diré que, las pocas veces que no la he tenido conmigo, me han pasado cosas malas. ¡Y no me digan que eso es una casualidad!

GABRIEL(A)   — Como dijo un gran poeta[1]: "Yo soy el arquitecto de mi propio destino." Cada uno de nosotros es el dueño de su destino, y todas esas supersticiones, incluyendo la astrología, son una tontería.

ANTONIO(A)   — Yo no sé si son tonterías o no, pero las encuentro interesantes y, muchas veces, leo mi horóscopo por curiosidad... y no paso por debajo de una escalera... por si acaso.

Actividad 9: Para conocernos mejor

En grupos de dos, háganse las siguientes preguntas.

1. ¿Te disfrazaste el día de Halloween el año pasado? ¿De qué?
2. ¿Cómo celebraron tú y tu familia el 4 de julio? ¿Y el Día de Acción de Gracias?
3. ¿Tú crees que una pata de conejo trae buena suerte?
4. ¿Sabes tú qué eventos ha patrocinado la universidad últimamente? (¿Has asistido a alguno?)
5. ¿Has asistido alguna vez a una fiesta de carnaval? ¿Dónde?
6. ¿Te llevas bien con todos tus parientes? ¿Con quién no te llevas bien?
7. ¿Qué tradición hispánica te parece más interesante?
8. ¿Tú sabes cuál es tu planeta regente? ¿Y cuál es tu palabra clave?

[1]Amado Nervo, famoso poeta mexicano.

9. ¿Cuál es tu signo del zodíaco? ¿Este signo es de Tierra, de Agua, de Fuego o de Aire?
10. ¿Sabes cantar algunos villancicos en español?
11. ¿Siempre te sales con la tuya o te das por vencido(a) fácilmente?
12. ¿Tú tienes inclinación al arte o a las ciencias?
13. ¿Tú eres una persona de humor cambiante o eres de carácter estable?
14. ¿Has participado alguna vez en un desfile? ¿Y en un concurso?
15. ¿Le temías al coco cuando eras niño(a)?
16. ¿Creías en los fantasmas cuando eras niño(a)? ¿Y en el conejito de la Pascua?
17. ¿Qué cosas crees tú que traen mala suerte?
18. ¿Hay gemelos en tu familia?
19. Cuando tú cumpliste seis años, ¿ya te habían dicho que no era Santa Claus quien traía los regalos? (¿Quién te lo dijo?)
20. ¿Tú te consideras una persona tranquila o inquieta? ¿Tierna o dura?

Dichos y refranes

Lee los siguientes diálogos en voz alta con un(a) compañero(a). Traten de averiguar el significado de los dichos en cursiva y de determinar si tienen equivalente en inglés.

1. — Carlos fue muy injusto conmigo, pero yo lo perdoné.
   — Hiciste bien porque, como dicen, *errar es humano; perdonar es divino.*
2. — No tengo trabajo ni dinero y estoy enfermo. No sé qué voy a hacer.
   — No te desesperes. Todo va a cambiar. Recuerda que *no hay mal que dure cien años.*
3. — ¿Por qué no quieres viajar mañana?
   — Porque es martes trece.
   — ¡Ah, verdad! *Martes trece, ni te cases ni te embarques.*

🖵 Y ahora... ¡escucha!

Vas a escuchar información sobre las fiestas que se ofrecen en distintos clubes y restaurantes la noche de Fin de Año. Lee lo siguiente antes de escuchar la cinta. Al escucharla, presta atención y trata de anotar los datos más importantes. Si no entiendes algo, escucha la cinta otra vez.

Nombre del club: _____

Lugar del club donde se celebra la fiesta: _____

Nombre de la orquesta: _____

Nombre del grupo: _____

Espectáculo que se presenta: _____

Precio: _____

Incluidas con la entrada: _____

_____

Ropa requerida: Damas _____

                Caballeros _____

Hora de la cena: _____

Hora en que comienza el baile: _____

Nombre del restaurante: _____

Precio de la cena: _____

Nombre del conjunto musical: _____

Incluida en el precio: _____

Nombre del hotel: _____

Precio de la cena: _____

Tipo de comida: _____

Espectáculo: _____

Vocabulario clave

Nombres

el astro, la estrella   star
la bandera   flag
la casualidad   coincidence
la clave   key
el comportamiento   behavior
el conjunto musical   musical group
el (la) dueño(a)   master, mistress
el dulce   candy
la escalera   ladder
el fuego   fire
la fuerza de voluntad   willpower
los (las) gemelos(as), mellizos(as)
   twins
el hogar   home
el (la) judío(a)   Jew
la llama   flame
la luna   moon
el mandato   order
la pata de conejo   rabbit's foot
la patria   country, homeland
el (la) perdedor(a)   loser
el (la) pensador(a)   thinker
el recuerdo   memory
el (la) regente(a)   ruler
la semejanza   similarity
la sensibilidad   sensitivity
el ser   being
el soldado   soldier
la sonrisa   smile
la sugerencia   suggestion
la tarjeta   card
la tierra   earth
la valentía   courage
la vena   vein

Verbos

abrazar   to embrace
apoyar   to support
disfrazarse   to disguise oneself, to
   wear a costume
honrar   to honor
imprimir   to print
mandar   to give orders, to order
patrocinar   to sponsor
perdonar   to forgive
propagar   to spread (*news*), to
   propagate
quejarse   to complain
refutar   to refute
regir (e → i)   to rule

Adjetivos

agudo(a)   sharp
apasionado(a)   passionate
cortés   polite
cuidadoso(a)   careful
duro(a)   harsh, hard
guerrero(a)   warlike
inquieto(a)   restless
poderoso(a)   powerful
sensible   sensitive
tierno(a)   tender

Otras palabras y expresiones

darse por vencido(a)   to give up
de humor cambiante   subject to
   mood changes
llegar a ser   to become
llevarse bien   to get along
salirse con la suya   to get one's way
ser capaz   to be capable

Para hablar de...

Los días festivos y las celebraciones
el concurso   contest
el desfile   parade

el picnic   picnic
el villancico   Christmas carol

Supersticiones y seres imaginarios
la bruja   witch
el coco   boogeyman
**el conejito de la Pascua
   Florida**   Easter Bunny
el espejo roto   broken mirror
el fantasma   ghost
el hada madrina   fairy godmother
el mal de ojo   evil eye

la mala suerte   bad luck
la maldición   curse
el monstruo   monster
Santa Claus (Clos), Papá Noel
   Santa Claus, Father Christmas
el viernes (martes) trece
   Friday (Tuesday) the thirteenth

Cosas de ayer y de hoy

En parejas, conversen sobre lo siguiente usando el vocabulario que se ha presentado en esta lección.

1. las celebraciones que son más importantes para Uds. y para su familia.
2. lo que piensan de los concursos de belleza (*beauty*) como, por ejemplo, el de *Miss Universo*
3. los desfiles más populares en el estado en que viven y lo que piensan del Desfile de las Rosas en Pasadena, si lo han visto alguna vez
4. las supersticiones en que creen y las supersticiones en las que no creen
5. los seres imaginarios en que creían cuando eran niños(as)
6. los personajes de los cuentos que más les gustaban cuando eran niño(as); los personajes a los que les tenían miedo
7. la edad en la que dejaron de creer en Santa Claus y lo que sintieron al saber que no existía
8. las canciones que cantan en Navidad y si saben algunos villancicos en español (¿Cuáles son y dónde los aprendieron?)

LECCIÓN 9

¿Por mar, por aire o por tierra?

Plaza de la Cibeles en Madrid, España.

En grupos

Actividad 1: Entrevistas

Paso 1

En parejas, lean en voz alta las siguientes entrevistas con estudiantes extranjeros, que aparecieron en la sección en español de un periódico estudiantil.

Nora Barbieri, de Argentina

— En Buenos Aires no todo el mundo tiene coche[1] como aquí, ¿verdad?

— No, pero tenemos un sistema de transporte colectivo muy bueno, incluyendo el subterráneo, que nosotros llamamos "subte".

— ¿Cómo se llama la calle donde está prohibido el tráfico?

— La calle Florida. Allí solamente se ven peatones. Ni siquiera permiten bicicletas.

— ¿Y no tienen Uds. también la avenida más ancha del mundo?

— Ah, sí, la Avenida 9 de Julio. Allí es todo lo contrario: el peatón se siente chiquitito entre todos los colectivos, los camiones, los autos y las motocicletas que parecen venir en todas direcciones.

— ¿Extrañas mucho Buenos Aires?

— Sí, pero no podré volver hasta terminar mis estudios.

Jorge Félix, de México

— ¿Cómo está el problema de la contaminación del aire en la Ciudad de México?

— Yo diría que bastante grave. Tan grave que el gobierno ha tomado medidas muy drásticas para tratar de mejorar la situación.

— ¿Como cuáles?

— Por ejemplo, ha cerrado muchas fábricas y ha limitado el uso de los automóviles. La gente no puede usar sus carros todos los días.

— Bueno, eso resolverá parte del problema. Oye, ¿piensas regresar a México?

— Sí, dentro de dos años me habré graduado, y entonces podré establecerme en México.

— ¿En la capital?

— No, me gustaría vivir en Guadalajara.

---

[1]**Coche, auto** y **carro** son equivalentes de **automóvil.**

Francisco Burés, de
España

— Dime, ¿cómo es el sistema de carreteras en España?
— Es bastante bueno. En los últimos años se han cons-
truido muchas autopistas y carreteras. Uno de mis
amigos tiene una camioneta, y él y yo viajamos por
toda España en ella todos los veranos.
— ¿Hay que pagar peaje para usar las autopistas?
— Sí, y es mucho más caro que en los Estados Unidos.
— ¿Tienen problemas con la polución en Barcelona?
— Sí, y también en Madrid. Allí, a veces, tienen que
tomar medidas de emergencia porque los niveles de
contaminación son extremadamente altos.
— Pero esas soluciones son temporales...
— Exactamente, y necesitamos encontrar soluciones
permanentes.

Paso 2

Comparen las condiciones que describen los estudiantes con las de Los Ángeles,
Nueva York o la ciudad en donde está la universidad de Uds. ¿Cuáles son los problemas que causa el automóvil? ¿Qué harían Uds. para solucionar estos problemas?

Problemas	Soluciones

Paso 3

Piensen en seis preguntas adicionales relacionadas con el transporte que a Uds. les gustaría hacerles a estos estudiantes.

1. _____
2. _____
3. _____
4. _____
5. _____
6. _____

Actividad 2: El transporte en el año 2100

Paso 1

Imagínense que están viviendo en el año 2100. El auto casi ha desaparecido, pero las nuevas tecnologías han hecho posible tener nuevas formas de transporte que ni se imaginaban en el siglo XX. En grupos de cuatro estudiantes, diseñen un nuevo sistema de transporte individual y otro de transporte colectivo y prepárense para explicárselos al resto de la clase. Si es necesario, pueden hacer dibujos para hacer más claras sus explicaciones.

Paso 2

Todos los grupos le presentarán sus inventos a la clase. Luego, Uds. votarán por el mejor sistema de transporte individual y el mejor sistema de transporte colectivo. Expliquen por qué lo prefieren. ¿Qué les gustó y qué no les gustó de cada sistema?

Actividad 3: Alquilemos un coche

Paso 1

Tú y dos compañeros(as) piensan pasar dos semanas en la Florida y planean alquilar un auto. Lean el anuncio de la siguiente página y decidan si les conviene o no alquilarlo con Avis. Tengan en cuenta lo siguiente.

1. Uds. van a alquilar el carro en Miami, pero quieren entregarlo en Tampa. ¿Va a costarles más el alquiler del carro?
2. Uds. piensan recorrer varias ciudades de la Florida. ¿Van a tener que pagar una cantidad extra por viajar largas distancias? ¿Por qué?
3. No van a tener tiempo para confirmar su reservación. ¿Va a ser eso un problema?

4. Uds. quieren practicar su español mientras están en Miami. ¿Podrán hacerlo cuando llamen a la agencia Avis? ¿Cómo lo saben Uds.?

5. Al recibir el carro en la agencia, ¿tendrán que ir directamente a una gasolinera? ¿Por qué?

6. Quieren alquilar un coche que esté en perfectas condiciones. ¿Creen Uds. que lo encontrarán en Avis? ¿Cómo lo saben?

7. ¿De qué forma sugiere el anuncio que no tendrán ningún problema si alquilan con Avis?

Tu viaje arranca con pie derecho cuando rentas tu carro en AVIS

Tu próximo viaje a Florida, Nueva York o cualquier parte de Estados Unidos siempre marcha sobre ruedas cuando cuentas con Avis. Porque en economía y servicio de primera, nadie nos lleva la delantera.

- Nuestro Programa Super Value, te ofrece una tarifa económica, con kilometraje ilimitado.
- Nuestro avanzado sistema computarizado coordina todas las reservas automáticamente.
- Basta una llamada antes de viajar y tu reservación queda hecha, sin necesidad de reconfirmarla.
- Con Avis, siempre viajarás en carros de último modelo de General Motors y otras marcas de calidad.

- Todos los carros se entregan con el tanque lleno, para tu mayor conveniencia.*
- Tenemos más de 1,000 oficinas en Estados Unidos y 60 en la Florida, para atenderte mejor.
- Además, no pagas recargo por entregar el carro en una oficina diferente de aquella donde lo recibiste, siempre y cuando sea dentro del estado de Florida.

Llámanos al 137-800-874-3556, donde hablamos español. Reserva con Avis tu próximo carro. Y date luz verde para tener un buen viaje, con Avis.

Paso 2

Ahora imaginen que Uds. trabajan para una compañía que alquila coches y preparen un anuncio de televisión para la misma. Denle nombre a su compañía y traten de poner énfasis en el anuncio sobre las ventajas que obtendrán las personas que alquilen un coche con Uds. Representen su anuncio para el resto de la clase.

Actividad 4: Seguridad sobre ruedas

Paso 1

Lee el siguiente artículo antes de venir a clase.

Avances tecnológicos de los nuevos autos

La protección del medio ambiente y la seguridad en la conducción son las características más notables de los autos de este año.

Entre sus novedades presentan una construcción, externa e interna, diseñada para minimizar los riesgos en accidentes y para lograr una gran economía en el consumo de combustible. También incluyen un equipamiento para mejorar la eficiencia en el control de las emisiones de gases como el monóxido y el dióxido de carbono.

El sistema de seguridad de los nuevos autos incluye también una bolsa de aire para el pasajero del asiento delantero. Las nuevas bolsas de aire, que van contenidas en el volante y frente al asiento del pasajero, se disparan automáticamente en siete milésimas de segundo para evitar los golpes en la cara, contra el parabrisas o el panel de instrumentos.

Otro aspecto interesante es el sistema de calefacción que traen algunos carros, y que difiere del tradicional que venía instalado en la parte delantera o interior del auto. Este novedoso sistema se encuentra instalado en cada asiento y puede graduarse según la preferencia del pasajero.

Algunos de los nuevos automóviles llevan radares especiales que alertan al conductor acerca de cualquier objeto que pueda interferir en el momento de dar marcha atrás.

El sistema de inyección electrónica es otro avance más, que permite dosificar el combustible necesario para el correcto funcionamiento del carro, para alcanzar mayor potencia por cilindrada y una considerable reducción en la emisión de sustancias contaminantes.

Por otra parte, los nuevos automóviles parecen estar diseñados para lograr la mayor comodidad para el conductor y los pasajeros. La mayoría de ellos poseen puertas de acceso amplias, tanto delanteras como traseras. La calidad de los materiales usados en el interior de los coches es excelente. Los asientos están perfectamente concebidos y diseñados para corregir posturas de conducción incorrectas, y se adaptan a todas las tallas o estaturas.

Paso 2

En grupos de tres o cuatro estudiantes, hagan lo siguiente.

1. Hablen de las ventajas que tienen los coches descritos en el artículo en casos de accidentes.
2. Hablen sobre la comodidad que ofrecen los nuevos coches.
3. Señalen la forma en que estos coches ayudan a proteger el medio ambiente.
4. Comparen estos coches con los que manejan Uds. o sus familiares o amigos.
5. Digan qué otras cosas agregarían Uds. para lograr el coche perfecto.

Paso 3

Ahora, con toda la clase, hagan una encuesta (*survey*) para determinar el número de estudiantes que...

1. prefieren comprar un coche nuevo
2. prefieren comprar un coche usado
3. prefieren manejar un coche pequeño
4. prefieren conducir un coche grande
5. prefieren los coches compactos extranjeros
6. generalmente manejan coches americanos

¿Qué sugiere el resultado de la encuesta en cuanto al mercado automovilístico de este país?

Actividad 5: En una agencia de coches

En parejas, representen los papeles de un(a) comprador(a) y un(a) vendedor(a) discutiendo la compra de un coche nuevo o usado. El (La) vendedor(a) hablará de las características del coche y de las ventajas de comprarlo. El (La) comprador(a) preguntará los detalles que desea saber, y luego discutirán el precio y la forma de pago: ¿Va a pagar al contado o a plazos? Si lo va a pagar a plazos, ¿cuánto va a dar de entrada (*down payment*)? Incluyan en la conversación la siguiente información.

marca del coche	color
modelo	color de la tapicería
año de fabricación	millas recorridas (sólo coches usados)
tipo de motor	sistema de seguridad

Actividad 6: ¿Qué es? ¿Para qué sirve?

Paso 1

Un ser extraterrestre, que aprendió el español a través de la onda corta, ha venido a la clase y quiere saber qué son y para qué sirven muchas de las cosas de las que ha oído hablar. Escribe una explicación para lo siguiente y después compara tus explicaciones con las de dos compañeros(as) para ver quién tiene las más claras.

1. una parada de autobuses _____

_____

2. un camión de mudanzas _____

_____

3. una grúa _____

_____

4. una barredora _____

_____

5. un semáforo _____

_____

6. una zona de estacionamiento _____

_____

7. un paso de peatones _____

_____

8. un parquímetro _____

_____

Paso 2

Ahora, en grupos de tres o cuatro, preparen una lista de diez preguntas que querrían hacerle al visitante.

SUBARU
EN ARMONIA CON
EL MEDIO AMBIENTE

Actividad 7: ¿Qué pasa aquí?

En parejas, miren el dibujo y usen su imaginación para contestar las siguientes preguntas.

1. ¿Quiénes son las personas que chocaron? ¿Adónde iban?
2. ¿Quién tuvo la culpa? ¿Alguien se equivocó de carril?
3. ¿A qué velocidad iba cada uno de los conductores?
4. ¿Qué va a hacer el policía?
5. ¿Qué va a pedirles el policía de tráfico a las personas que chocaron?
6. ¿Qué problema tiene la señora del coche con el capó levantado? ¿Cómo va a resolverlo?
7. ¿Qué problema tiene el hombre que está junto al coche? ¿Por qué le preocupa la hora?
8. ¿Adónde va el chico de la bicicleta?
9. ¿Adónde quiere ir la señorita?
10. ¿Cómo se siente cada una de las personas que aparecen en el dibujo?

Actividad 8: De viaje

Paso 1

En grupos de tres o cuatro estudiantes, hagan planes para hacer un viaje de Nueva York a California. Decidan si van a hacer el viaje en avión, en tren, en ómnibus o en coche. ¿Cuáles son las ventajas y desventajas de cada uno de estos medios de transporte?

	Ventajas	Desventajas
Avión		
Tren		
Ómnibus		
Coche		

Paso 2

Comparen sus respuestas con las de otros grupos. ¿Cuál es el medio de transporte que prefiere la mayoría? ¿Cuál es el menos popular? ¿Cuál es el más barato? ¿Cuál es el más caro? ¿Cuáles son algunos factores que podrían cambiar estas preferencias?

Paso 3

Ahora imaginen que Uds. tienen la oportunidad de dar la vuelta al mundo en ochenta días. ¿Cómo lo harían? ¿Qué medios de transporte usarían para viajar de continente a continente? ¡Planeen la gran aventura de su vida!

Actividad 9: Para conocernos mejor

En grupos de dos, háganse las siguientes preguntas.

1. En tu opinión, ¿qué ventajas y desventajas tiene el transporte colectivo?
2. ¿Prefieres tener tu propio coche? ¿Por qué?
3. ¿Te gustaría tener una motocicleta? ¿Por qué?
4. ¿Crees tú que en veinte años se habrá resuelto el problema del transporte?
5. En tu opinión, ¿es mejor construir más carreteras y autopistas o mejorar el sistema de trenes? ¿Por qué?
6. ¿Alguna vez has tenido que pagar peaje para usar la autopista? ¿Dónde?
7. ¿Prefieres conducir un coche americano o un coche extranjero? ¿Por qué?
8. ¿Qué piensas tú de las bolsas de aire?
9. Cuando estás en un coche, ¿prefieres conducir o ser el pasajero (la pasajera)? ¿Por qué?
10. En algunos estados, la velocidad máxima en la carretera es de 75 millas por hora. ¿Te parece esto una buena idea? ¿Por qué?
11. ¿Siempre usas el paso de peatones para cruzar la calle? ¿Por qué?
12. ¿Cuál crees tú que debe ser la edad mínima para manejar? ¿Por qué?
13. ¿Tú has chocado alguna vez? ¿Quién tuvo la culpa?
14. Si tú vas a comprar un automóvil, ¿prefieres pagarlo al contado o a plazos? ¿Por qué?
15. ¿Has manejado alguna vez un camión de mudanzas? ¿Crees que sería fácil hacerlo?
16. ¿Tú manejas muy rápido o manejas con cuidado?
17. ¿Cuáles crees tú que son las causas de muchos accidentes?
18. ¿Tú prefieres manejar una camioneta o un coche compacto? ¿Por qué?
19. ¿Has tenido que llamar una grúa alguna vez? ¿Qué pasó?
20. Cuando haces un viaje largo en coche, ¿te mareas?

Dichos y refranes

Lee los siguientes diálogos en voz alta con un(a) compañero(a). Traten de averiguar el significado de los dichos en cursiva y de determinar si tienen equivalente en inglés.

1. — No puedo acostumbrarme a la velocidad con que manejan en esta ciudad.
   — Pues, vas a tener que manejar rápido tú también. Recuerda lo que dice el refrán: *Adonde fueras, haz lo que vieras.*
2. — Carlos salió de viaje muy temprano.
   — Sí, pero nosotros llegamos al hotel a la misma hora que él.
   — Bueno, es que *no van lejos los de adelante si los de atrás corren bien.*
3. — Por fin, el gobierno se ha dado cuenta de que tiene que hacer algo para solucionar el problema de la contaminación del aire.
   — Bueno, hija. *¡Más vale tarde que nunca!*

MIERCOLES

APROVECHE DIA DE LOS AUTOMOVILES

📼 Y ahora... ¡escucha!

Vas a escuchar un informe sobre las condiciones del tráfico. Lee lo siguiente antes de escuchar la cinta. Al escucharla, presta atención y trata de anotar los datos más importantes. Si no entiendes algo, escucha la cinta otra vez.

Nombre del locutor: _____

Lugar desde donde transmite: _____

Accidente #1

Lugar del accidente: _____

Probable causa del accidente: _____

Vehículos involucrados en el accidente: _____

_____

Vehículos de auxilio: _____

_____

Accidente #2

Lugar del accidente: _____

Problema que ha causado el accidente: _____

_____

Vehículos involucrados en el accidente: _____

_____

Ruta alterna: _____

Hora del próximo informe: _____

Vocabulario clave

Nombres
la autopista   expressway, freeway
la barredora   street cleaner
la bolsa de aire   air bag
la carretera   highway
el camión   truck
el camión de bomberos   fire truck
el camión de mudanzas   moving van
la camioneta   van; pickup truck
el capó   hood (*of a car*)
el carril   lane
el coche patrullero   patrol car
el colectivo (*Arg.*)   bus
el combustible   fuel
la contaminación, la polución
  pollution
**la entrada, la cuota inicial, el
  enganche** (*Mex.*)   down payment
la fábrica   factory
la grúa, el remolcador   tow truck
la medida   measure
la milla   mile
la onda corta   short wave
el panel de instrumentos   control
  panel
el parabrisas   windshield
la parada   stop
el parquímetro   parking meter
el paso de peatones   pedestrian
  crossing, crosswalk
el peaje   toll
el peatón   pedestrian
el plan de ahorro   savings plan
el transporte colectivo   public
  transportation

el vehículo de auxilio   emergency
  vehicle (*e.g., ambulance, fire truck,
  etc.*)
el volante   steering wheel
**la zona de estacionamiento
  (aparcamiento)**   parking lot

Verbos
agregar, añadir   to add
chocar   to have a collision, to crash
entregar   to turn in, to hand in
financiar   to finance
recorrer   to cover (distance) through
  travel

Adjetivos
chiquitito(a), chiquitico(a)
  very tiny
delantero(a)   front
grave   serious
trasero(a)   back

Otras palabras y expresiones
a plazos   in installments
¿A qué velocidad?   How fast?
al contado   in cash[1]
dar marcha atrás   to back up
marchar sobre ruedas   to go
  smoothly
ni siquiera   not even
reacción en cadena   chain reaction
tener la culpa   to be at fault
verse involucrado(a)   to find oneself
  involved in

---

[1]total payment

Para hablar de...

Viajes por carretera
el área de servicios   service area
el carril central (izquierdo, derecho)   center (left, right) lane
el carril de salida   exit ramp
el letrero del límite de velocidad   speed limit sign
el paso superior   overpass

Problemas relacionados con el transporte
perder el avión (el tren, el autobús)   to miss the plane (train, bus)
tener el acumulador (la batería) muerto(a)   to have a dead battery
tener dificultad en encontrar un lugar para estacionar   to have a hard time
   finding a parking spot
tener exceso de equipaje   to have excess baggage
tener una goma pinchada (ponchada)   to have a flat tire
tener... horas de retraso (atraso)   to be . . . hours behind schedule
tener mareo   to be seasick or airsick
tener problemas con la caja (el encendido, el calefactor, el tablero)   to have
   problems with the transmission (ignition, heater, control panel)
tener que llamar un remolcador   to have to call a tow truck

Medios de transporte
el buque transatlántico   ocean liner
la canoa   canoe
el deslizador   hang glider
el globo   hot-air balloon
el helicóptero   helicopter
la lancha de motor   motorboat
el tranvía   trolley, streetcar

¿Por mar, por aire o por tierra?

En parejas, conversen sobre lo siguiente usando el vocabulario que se ha presentado en esta lección.

1. los problemas que han tenido con su coche y lo que han tenido que hacer para resolverlos
2. los problemas que han tenido al viajar en avión
3. las ventajas y desventajas de viajar en coche (en avión)
4. Los medios de transporte que prefieren y los que no han usado nunca. ¿Por qué?
5. Los lugares y las situaciones en que utilizarían Uds. los diferentes medios de transporte. Hagan una lista de estos lugares y situaciones para cada medio de transporte.

- *El reciclaje y la protección del medio ambiente*
- *Cómo reclutar voluntarios*
- *Proyectos cívicos*
- *Cómo protegerse en la ciudad*
- *Crímenes y castigos*
- *Para conocernos mejor*

¿Qué pasa en nuestras ciudades?

Vista de la ciudad de México.

En grupos

Actividad 1: ¿Eres parte del problema o de la solución?

Paso 1

¿Haces todo lo posible para ahorrar energía y proteger el medio ambiente? Para comprobarlo, completa el siguiente cuestionario antes de venir a clase.

Siempre	A veces	Nunca	
☐	☐	☐	1. Cada vez que me es posible, uso el transporte público.
☐	☐	☐	2. Me ofrezco a llevar a otras personas en mi coche para que ellos no usen el suyo[1].
☐	☐	☐	3. Mantengo mi coche en perfecto estado de funcionamiento[1].
☐	☐	☐	4. Si el lugar adonde me dirijo no está lejos, camino o voy en bicicleta.
☐	☐	☐	5. Apago las luces al salir de una habitación.
☐	☐	☐	6. No dejo el grifo del agua abierto mientras me cepillo los dientes.
☐	☐	☐	7. Lavo la ropa con agua fría.
☐	☐	☐	8. En invierno, mantengo el termostato de la calefacción en 68 grados.
☐	☐	☐	9. No pongo el aire acondicionado a menos que la temperatura pase de los 80 grados.
☐	☐	☐	10. Utilizo productos biodegradables.
☐	☐	☐	11. Reciclo periódicos.
☐	☐	☐	12. Reciclo botellas y otros objetos de vidrio.
☐	☐	☐	13. Reciclo los envases de plástico.
☐	☐	☐	14. Evito usar pulverizadores que contienen aerosol.
☐	☐	☐	15. Patrocino los negocios que fabrican productos que no contaminan el medio ambiente.

---

[1]Si no tienes coche propio, contesta según lo que harías si lo tuvieras.

Paso 2

En grupos de cuatro estudiantes, comparen sus respuestas. ¿Cuáles son las cosas que casi todos Uds. hacen? ¿Cuáles son las cosas que Uds. no hacen, que deberían hacer? ¿Qué pueden hacer para acostumbrarse a ahorrar energía y para proteger el medio ambiente? Hagan una lista.

Paso 3

El (La) profesor(a) escribirá las sugerencias de cada grupo en la pizarra. La clase escogerá diez de ellas y las colocará en orden de importancia.

Actividad 2: Una conferencia de prensa

Paso 1

Imagínense que en la universidad se está celebrando un congreso sobre los problemas ambientales que afectan a las ciudades, y que los organizadores han programado una conferencia de prensa para esta tarde. En grupos de tres estudiantes, preparen una lista de preguntas que les gustaría hacerles a los expertos del congreso sobre la posible eficacia de varias medidas para disminuir la polución del aire y de las aguas y para aumentar el reciclaje en las ciudades.

Sobre la polución del aire:

1. ¿Creen Uds. que es una buena idea limitar el número de coches en las ciudades?

2. _____

3. _____

4. _____

5. _____

Sobre la polución de las aguas:

1. _____

2. _____

3. _____

4. _____

5. _____

Sobre el reciclaje:

1. _____
2. _____
3. _____
4. _____
5. _____

Paso 2

Júntense con otro grupo para representar la conferencia de prensa. Túrnense para que todos hagan los papeles de periodistas y de expertos(as).

Actividad 3: Biosfera 2: ¿Un modelo para el futuro?

Paso 1

En grupos pequeños, lean esta carta que Alicia Cisneros, de Puerto Rico, les escribió a sus padres después de visitar la Biosfera 2, en Arizona.

Queridos papá y mamá,

Ayer Rogelio y yo visitamos un lugar interesantísimo que queda a unas treinta millas de la ciudad de Tucson. Allí está la Biosfera 2, que es una especie de microcosmos de la Tierra. Tiene una extensión de dos acres y medio, y es como un gigantesco invernadero, construido de vidrio y metal. Allí vivirán, por diez meses y medio, siete personas (cinco hombres y dos mujeres), para continuar los estudios sobre las posibilidades de mantener la vida humana en colonias espaciales.

Éste es el segundo equipo de científicos que va a vivir allí. El primero estuvo por dos años. Este segundo equipo está formado por científicos de varios países: Australia, Gran Bretaña, México, Nepal y Estados Unidos.

Además de viviendas, laboratorios y oficinas, hay partes que representan las distintas regiones del mundo: un bosque tropical, una sabana, pantanos, desiertos, océanos y lugares dedicados a la agricultura. Unas tres mil ochocientas especies vegetales y animales fueron introducidas en este universo restringido.

Les aseguro que ver todo eso fue una experiencia extraordinaria. Imagínense que allí van a criar gallinas y peces, y van a cultivar frutas y verduras. Lo que más me asombró fue saber que los científicos sólo comerán lo que cosechen allí, y que no saldrán de la Biosfera durante los diez meses y medio que dure el experimento. Yo no podría estar allí por más de una semana.

Bueno, los dejo por hoy. Escríbanme pronto.

Abrazos,

Alicia

Paso 2

Ahora imagínense que Uds. son científicos que se han comprometido a vivir en la Biosfera 2 por un año. Contesten las siguientes preguntas.

1. ¿Cuál será la rutina diaria de Uds.?

_____

_____

_____

_____

2. ¿De qué se encargará cada uno de Uds.?

_____

_____

_____

_____

3. ¿En cuál de las regiones de este microcosmos prefiere trabajar cada uno de Uds.?

_____

_____

_____

_____

4. ¿Qué problemas tendrán que resolver Uds. para poder vivir juntos por tanto tiempo? ¿Cómo los resolverán?

_____

_____

_____

_____

5. ¿Cuáles son las cosas del mundo exterior que Uds. extrañarán más?

_____

_____

_____

_____

Ahora comparen las respuestas que dieron a las preguntas 4 y 5 con las de los otros grupos. ¿Qué semejanzas hay? ¿Qué diferencias hay?

Actividad 4: La basura: ¿qué hacer con ella?

Paso 1

En parejas, lean el anuncio que aparece en la página 135 y contesten las siguientes preguntas.

1. ¿A qué se refiere el anuncio? ¿A quiénes está dirigido?
2. ¿Cuáles son los tres programas que se anuncian?
3. ¿A qué hora, dónde y en qué forma debe dejarse la basura?
4. ¿Qué va a recogerse la primera y la tercera semana de cada mes?
5. ¿Cuántas veces por semana se van a recoger los plásticos? ¿Qué otras cosas deben reciclar los residentes?
6. ¿Cómo pueden obtener los residentes más información sobre el programa?
7. ¿Creen Uds. que es importante el programa creado por la ciudad de Miami? ¿Por qué o por qué no?

Paso 2

Ahora imagínense que Uds. trabajan para la ciudad de Miami y que tienen la responsabilidad de contestar las llamadas de residentes que buscan información sobre los servicios de reciclaje. ¿Qué les dirían a las siguientes personas?

1. Los Sres. Hernández van a mudarse a una casa nueva y están botando muchas cosas en la basura. Necesitan una recogida especial.
2. El Sr. Ibarra, que reside en la Pequeña Habana, ha perdido su caja azul de reciclaje.
3. La Sra. Julián acaba de regresar a Miami después de un viaje de tres meses. Llama para quejarse porque hoy ha dejado la basura en el patio, como siempre, y no la han recogido.
4. Los Sres. Bejarano acaban de comprar un duplex. Quieren saber cuándo se recogen los desechos de patio.
5. La Srta. López vive en un apartamento. Quiere saber si debe seguir las mismas reglas de reciclaje que los que viven en una casa.

Paso 3

Ahora hablen del programa de reciclaje en su ciudad o pueblo. ¿Cómo funciona? ¿Puede mejorarse? Si no existe un programa de reciclaje donde Uds. viven, ¿cómo podría crearse uno? ¿Cuáles son las ventajas y desventajas de los programas de reciclaje?

AVISO
CIUDAD DE MIAMI

TRES PROGRAMAS DE RECOGIDA AL FRENTE DE LAS RESIDENCIAS

1. RECOGIDA DE BASURA RESIDENCIAL

2. DESECHOS DE PATIO/JARDIN EN SEMANAS ALTERNAS

3. RECICLAJE RESIDENCIAL

1. RECOGIDA DE BASURA RESIDENCIAL: COMENZANDO EL 4 DE ABRIL EL PERSONAL DE RECOGIDA YA NO RECOGERA EN LOS PATIOS DE LAS CASAS. LA BASURA DEBERA SER ADECUADAMENTE ENPAQUETADA Y PUESTA AFUERA PARA LAS 6:30 A.M. EN LOS DOS DIAS SEÑALADOS DE CADA SEMANA. **USTED PUEDE SOLICITAR UNA RECOGIDA ESPECIAL LLAMANDO AL 575-5108.**

2. RECICLAJE DE DESECHOS DE PATIO/JARDIN EN SEMANAS ALTERNAS: A PARTIR DEL PASADO 1RO DE FEBRERO LOS DESECHOS LIMPIOS DE PATIO/JARDIN SON RECOGIDOS DE LAS RESIDENCIAS DE UNA FAMILIA Y DUPLEXES SOLAMENTE DURANTE LA **PRIMERA Y TERCERA SEMANA DE CADA MES** EN LOS DIAS REGULARMENTE SEÑALADOS. TODOS LOS OTROS DESECHOS SON RECOGIDOS EN LOS DIAS REGULARMENTE SEÑALADOS DURANTE LA **SEGUNDA Y CUARTA SEMANA DE CADA MES.**

3. RECICLAJE DE PLASTICOS/CRISTALES/ESTAÑO/ALUMINIO: TODOS LOS RESIDENTES DE CASAS/DUPLEXES DEBEN RECICLAR. UNA VEZ POR SEMANA, EN LOS DIAS SEÑALADOS, PONGAN LAS CAJAS AZULES DE RECICLAJE FRENTE A SUS RESIDENCIAS PARA LAS 7:00 A.M. Y SERAN RECOGIDAS POR LOS CAMIONES DE RECICLAJE DE LA S.E.A.

PARA MAYOR INFORMACION ACERCA DE ESTOS NUEVOS PROGRAMAS LLAME AL 575-5108 O AL CENTRO DE SERVICIO NET DE SU VECINDARIO.

Allapattah 575-5128 **Coconut Grove** 579-6018 **Coral Way** 859-2701 **Downtown** 579-6007 **Flagami** 461-7051 **Pequeña Haiti** 795-2337 **Pequeña Habana** 643-7164 **Model City** 795-2303 **Overtown** 372-4550 **Upper East Side** 795-2330 **Wynwood/Edgewater** 579-6931

DIVISION DE RECOGIDA DE BASURA

Actividad 5: La asociación de vecinos

Paso 1

En grupos de tres estudiantes, representen una escena entre tres miembros de una asociación de vecinos que tienen opiniones muy diferentes sobre lo que debe ser la primera prioridad del grupo. Cada uno(a) de Uds. debe defender la posición del personaje que representa y discutir por qué su propuesta es mejor que las otras.

CARLOS (CARLOTA)   Quiere organizar un comité de vecinos para la vigilancia del barrio. Tiene muchas ideas sobre cómo convencer a los vecinos de las ventajas del programa, ayuda que van a pedirle a la policía, etc.

DANIEL(A)   Está a favor de organizar un programa dedicado a preparar actividades para los niños que no tienen supervisión de ningún adulto cuando llegan de la escuela. Ha sugerido una primera reunión para hablar de cómo entretener a los niños y decidir si van a ayudarlos con las tareas de la escuela, qué les van a dar de comer y de beber, dónde los van a reunir, etc.

MARIO (MARÍA)   Cree que la mejor manera de unir a los vecinos es preparar una fiesta para todo el barrio con el fin de que los vecinos se conozcan mejor. Ya tiene una lista de detalles que hay que tener en cuenta: fecha y hora de la fiesta, tipo de comida y de bebida que se va a servir, juegos que se van a organizar, etc.

Paso 2

Los miembros de la asociación de vecinos han decidido realizar todas estas actividades. Formen diferentes comités para planear cada actividad en detalle.

Actividad 6: ¡Se necesitan voluntarios!

Paso 1

La universidad a la que Uds. asisten ha aceptado participar en un "día de ayuda a la comunidad", que se celebrará el último sábado del mes que viene. Ese día, voluntarios de toda la ciudad dedicarán ocho horas a trabajar en diferentes proyectos. Uds. están encargados de reclutar voluntarios entre el profesorado y los estudiantes y de determinar el trabajo que van a hacer. En grupos de cuatro estudiantes, hablen de lo siguiente. Anoten sus conclusiones para poder compartirlas con el resto de la clase.

1. Argumentos que van a utilizar para atraer voluntarios. ¿Cuáles serían más convincentes, y por qué?

   _____

   _____

   _____

   _____

   _____

2. Instituciones a las cuales les van a prestar ayuda. Decidan por qué merecen una ayuda especial.

   _____

   _____

   _____

   _____

   _____

3. Tipos de trabajo que los voluntarios deben hacer. ¿Existen proyectos adecuados para profesores y para estudiantes? ¿Cuáles son, y por qué son apropiados?

   _____

   _____

   _____

   _____

   _____

4. ¿Cómo van a organizar el día de trabajo? Decidan la mejor forma de coordinar los horarios, los descansos para comer, los traslados de un lugar a otro y cómo asignar las diferentes responsabilidades.

   _____

   _____

   _____

   _____

   _____

Paso 2

Preparen un volante (*flyer*) para anunciar el "Día de ayuda a la comunidad", dando información sobre el evento y animando a la gente para que participe.

Paso 3

Comparen su volante y sus ideas con las de los otros grupos. Decidan lo que la clase va a hacer con respecto a los cuatro puntos señalados, y qué volante(s) deben usar para promocionar el evento.

Actividad 7: ¡Hombre prevenido vale por dos!

Paso 1

Cada vez son más los crímenes que ocurren en nuestras ciudades. En grupos de tres estudiantes, hablen de cómo evitar convertirse en víctimas. ¿Qué medidas podría tomar una persona para evitar que le pasara lo siguiente?

1. que alguien le robara la billetera
2. que alguien entrara en su casa y le robara cosas
3. que alguien le robara el coche
4. que alguien lo (la) asaltara
5. que sus hijos se unieran a pandillas

Paso 2

Ahora hablen de los factores que, según Uds., han contribuido al aumento de la delincuencia. Analicen el papel de la familia, de las escuelas, de la sociedad y de la economía en este problema. Hablen también sobre el problema de las drogas.

Paso 3

Hagan una lista de diez cambios sociales o políticos que podrían contribuir a la disminución de la delincuencia. Después, compartan sus ideas con el resto de la clase.

1. _____
2. _____
3. _____
4. _____
5. _____
6. _____
7. _____
8. _____
9. _____
10. _____

Actividad 8: ¿Qué pasa aquí?

Mira el dibujo con un(a) compañero(a) y hablen de lo que está pasando en la
calle. Usen su imaginación. ¿Quiénes son los residentes y qué hacen? ¿Qué aspectos de la vida urbana les gustan y cuáles no les gustan? ¿Cuáles son algunas cosas
positivas y otras negativas que están pasando en este momento?

Actividad 9: Crimen y castigo

Paso 1

En grupos de tres o cuatro estudiantes, lean estos titulares de periódico en voz alta y hablen de cuáles serían los castigos adecuados para los delincuentes. Expliquen en qué basan los castigos que recomiendan.

Una mujer mata a su ex esposo de un balazo y después trata de suicidarse

Secuestran a un niño de cinco años que jugaba en un parque

Violan a una mujer en su propio apartamento

Una familia encuentra que le han robado después de forzar la puerta de la casa

Desde un coche en marcha le disparan a un automovilista y lo matan

Dos hombres golpean a una mujer, la sacan de su automóvil por la fuerza y escapan en el vehículo

Asaltantes de un banco mantienen como rehenes a varios empleados durante cuatro horas

Despedido hace dos años, vuelve a la oficina y mata al supervisor y a otros dos empleados

Robo de automóviles en la zona de estacionamiento de un centro comercial

Transeúnte herido durante tiroteo entre pandillas rivales

Robo a mano armada en una licorería
Los ladrones escapan con sólo ochenta dólares

Paso 2

Un gran problema que existe en Estados Unidos es el de la superpoblación en las cárceles. Hablen sobre los problemas que esto causa y de las posibles soluciones, tratando, entre otros, los siguientes temas:

1. los problemas que causa la superpoblación en las cárceles
2. las ventajas y las desventajas de construir más cárceles
3. la posibilidad de rehabilitar al mayor número posible de presos
4. si es preferible la cadena perpetua o la pena capital
5. la necesidad de limitar la libertad condicional
6. el papel de los jueces

Paso 3

Comparen sus ideas con las de los otros grupos. ¿Tienen muchas ideas en común? ¿Cuáles? ¿Hay muchas diferencias de opinión? ¿Cuál es la filosofía de la mayoría?

Actividad 10: Para conocernos mejor

En grupos de dos, háganse las siguientes preguntas.

1. ¿Qué haces tú para ahorrar energía?
2. ¿Tú llevarías a otras personas en tu coche para que no tuvieran que manejar?
3. ¿Qué harías tú para mantener tu coche en perfecto estado de funcionamiento?
4. ¿Tú mantendrías el termostato de la calefacción en 68 grados? ¿Por qué?
5. ¿Hay programas especiales para el reciclaje en tu barrio? ¿Cooperas tú en ellos?
6. Si te pidieran que trabajaras como voluntario, ¿lo harías? ¿Por qué? ¿Para qué tipos de actividades lo harías?
7. ¿Qué problemas ambientales crees tú que serían fáciles de resolver?
8. ¿Qué problemas sociales crees que son los más graves en este país?
9. ¿Tú crees que si una persona menor de edad comete un delito debe ser juzgado como un adulto? ¿Por qué? ¿Dependería de la situación?
10. Si tú fueras juez, ¿usarías más la rehabilitación o el castigo? ¿Para qué casos utilizarías la primera? ¿Y el segundo?
11. ¿Estás a favor o en contra de la pena capital? ¿Por qué?
12. ¿Conoces a alguien que se haya unido a una pandilla? ¿Quién? ¿Por qué?
13. ¿Crees que el alcoholismo es una enfermedad o un vicio?
14. ¿Alguna vez te han hecho la prueba del alcohol?
15. ¿Has firmado alguna vez una petición? ¿Cuál era el problema? ¿Para resolver algún problema de la comunidad?
16. ¿Has hecho alguna denuncia alguna vez?
17. Si alguien te hubiera despedido sin motivo, ¿le habrías puesto una demanda?
18. ¿Has servido de testigo alguna vez? ¿Cuándo? ¿Dónde?

Dichos y refranes

Lee los siguientes diálogos en voz alta con un(a) compañero(a). Traten de averiguar el significado de los dichos en cursiva y de determinar si tienen equivalente en inglés.

1. — Leonardo siempre está amenazando a todo el mundo, pero nunca hace nada.
   — ¡Ay, hija! *¡Perro que ladra no muerde!*

2. — Arturo abandonó a sus hijos cuando ellos eran pequeños. Ahora está viejo y solo y sus hijos no se ocupan de él.
   — Bueno... *¡El que la hace la paga!*

3. — Empezó a robar cuando tenía quince años y terminó asaltando un banco. Ahora está en la cárcel.
   — ¡Bueno! *¡Quien mal anda, mal acaba!*

UNIVERSIDAD DE CHILE
FACULTAD DE CIENCIAS
FISICAS Y MATEMATICAS

CURSO DE ESPECIALIZACION EN:

CONTAMINACION
AMBIENTAL
(Duración: 1 Año Académico)

Alcaldía de Caracas
El Gobierno de la gente... para la gente.

🖭 Y ahora... ¡escucha!

Vas a escuchar varias llamadas de emergencia que se hicieron a una estación de policía. Lee lo siguiente antes de escuchar la cinta. Al escucharla, presta atención y trata de anotar los datos más importantes. Si no entiendes algo, escucha la cinta otra vez.

Primera llamada

Número de personas en el apartamento: _____

Problema: Alguien está tratando de _____

Dirección: _____

Segunda llamada

Problema: _____

Lugar del accidente: _____
_____

Vehículos involucrados: _____

Persona(s) herida(s): _____

Ayuda solicitada: _____

Tercera llamada

Nombre de la persona que llama: _____

Objetos que faltan: _____

Lugar donde está la víctima: _____

Dirección de la víctima: _____

Cuarta llamada

Problema: _____

Lugar: _____

Dirección: _____

Posible víctima: _____

Sospechosos: _____

Características del coche: _____

Últimas cifras (*digits*) de la chapa: _____

Vocabulario clave

Nombres
el balazo   shot
la basura   garbage
la cadena perpetua   life sentence
el castigo   punishment
el (la) científico(a)   scientist
la chapa   license plate
la delincuencia   crime
el delito, el crimen   criminal act
el desecho   waste
el envase   container
el grifo, la llave del agua, la canilla
   faucet, tap
el invernadero   greenhouse
el (la) juez   judge
el (la) ladrón(ona)   thief, burglar,
   robber
la libertad condicional (bajo palabra)
   parole
la licorería   liquor store
la pandilla   gang
el pantano   marsh, bog
la pena capital, la pena de muerte
   capital punishment
el preso   prisoner, inmate
el (la) rehén   hostage
la reunión, la junta (*Mex.*)   meeting
el robo a mano armada   armed
   robbery
la sabana   savanna
la superpoblación   overcrowding
el (la) sospechoso(a)   suspect
el tiroteo   shooting
el (la) transeúnte   passerby

Verbos
ahorrar   to save
apagar   to turn off

apurarse   to hurry (up)
asaltar   to assault, to attack
convencer   to convince
cosechar   to harvest
despedir (e → i)   to fire
disparar   to shoot
echar, tirar, botar   to throw away
encargarse (de)   to take
   responsibility for
forzar (o → ue)   to break into, to
   force
golpear   to hit, to beat
matar   to kill
mudarse   to move (*to a new house*)
patrocinar   to sponsor, to patronize
reciclar   to recycle
reclutar   to recruit
recoger   to collect, to gather
reunirse   to meet
secuestrar   to kidnap
unir(se)   to unite; to join
violar   to rape; to violate

Adjetivos
convincente   convincing
herido(a)   wounded
malherido(a)   badly wounded
restringido(a)   restricted
sospechoso(a)   suspicious

Otras palabras y expresiones
cada vez son más   there are more
   and more every time
en perfecto estado de funcionamiento
   in perfect working condition
por la fuerza   forcibly
un coche en marcha   a moving car

Para hablar de...

Funcionarios y servicios urbanos
el alcalde, la alcaldesa   mayor
el ayuntamiento   city hall
los basureros   garbage collectors
los bomberos   fire fighters

el consejo municipal   city council
el departamento de policía
   police department

Problemas sociales y cómo solucionarlos
el alcoholismo   alcoholism
el (la) carterista   pickpocket
la demanda   lawsuit
la denuncia   report (*of a crime*)
el (la) drogadicto(a)   drug addict
el motín   riot
la persona menor de edad   minor

la petición   petition
la prostitución   prostitution
la prueba del alcohol   sobriety test
la rehabilitación   rehabilitation
el (la) testigo   witness
el tratamiento psicológico
   counseling, therapy

¿Qué pasa en nuestras ciudades?

En parejas, conversen sobre lo siguiente usando el vocabulario que se ha presentado en esta lección.

1. los funcionarios de servicios urbanos con los que han tenido algún tipo de relación: ¿En qué circunstancias? ¿Cuándo? ¿Dónde? ¿Por qué?
2. lo que piensan de las demandas: ¿Creen que deben limitarse o no? ¿Por qué?
3. su opinión sobre los problemas de las drogas y los drogadictos: ¿Qué piensan que puede hacerse para disminuir ese problema?
4. lo que creen que se puede hacer para combatir los problemas del alcoholismo
5. su opinión sobre el aumento de la criminalidad en los menores de edad: ¿A qué creen que se debe?
6. los casos en que creen que es útil el tratamiento psicológico
7. lo que creen que puede hacerse para hacer desaparecer la prostitución y los problemas que ésta trae

LECCIÓN II

¡Luz, cámara, acción!

La actriz puertorriqueña, Jennifer López, que hace el papel de Selena, en el estreno de la película.

En grupos

Actividad 1: Para hablar del cine y de la televisión

Paso 1

En parejas, lean las descripciones que aparecen en la columna **A** y traten de encontrar las correspondientes respuestas en la columna **B**.

<table>
<tr><td align="center">A</td><td align="center">B</td></tr>
<tr><td>1. Un programa donde se mezclan el baile, la música y pequeñas situaciones cómicas.</td><td>a. pantalla
b. estrenar</td></tr>
<tr><td>2. Todos mis hijos, por ejemplo.</td><td>c. protagonista
d. publicidad</td></tr>
<tr><td>3. Estación de televisión.</td><td>e. medios de comunicación</td></tr>
<tr><td>4. Mujer que actúa en el cine.</td><td>f. guía de espectáculos</td></tr>
<tr><td>5. Donde se proyecta una película.</td><td>g. telenovela</td></tr>
<tr><td>6. Propaganda.</td><td>h. programa de entrevistas</td></tr>
<tr><td>7. Persona que produce un programa.</td><td>i. dibujos animados
j. videograbadora</td></tr>
<tr><td>8. Personaje principal de una obra.</td><td>k. programa de variedades</td></tr>
<tr><td>9. Premio que se les otorga a actores, directores, etc., del cine.</td><td>l. televidentes
m. el Óscar</td></tr>
<tr><td>10. Enseñar una película por primera vez.</td><td>n. productor(a)
o. actriz</td></tr>
<tr><td>11. Personas que miran la televisión.</td><td>p. canal</td></tr>
<tr><td>12. Las aventuras del ratón Mickey, por ejemplo.</td><td></td></tr>
<tr><td>13. Máquina que se usa para copiar un programa de televisión.</td><td></td></tr>
<tr><td>14. TV Guide, por ejemplo.</td><td></td></tr>
<tr><td>15. Televisión, radio y prensa.</td><td></td></tr>
<tr><td>16. El de Oprah Winfrey, por ejemplo.</td><td></td></tr>
</table>

Paso 2

Ahora, en grupos de cuatro, usen su nuevo vocabulario para conversar sobre el cine y la televisión. Háganse preguntas y comenten sobre lo siguiente.

1. los tipos de programas que prefieren y los que menos les gustan
2. lo que Uds. opinan sobre las telenovelas
3. los programas de dibujos animados —cuando eran niños(as) y ahora
4. varios presentadores de programas de entrevistas
5. sus actrices y actores favoritos
6. la publicidad en la televisión: ¿Cuáles son los mejores anuncios y cuáles son los peores?

Actividad 2: ¿Quién soy yo?

La clase se dividirá en grupos de cuatro o cinco estudiantes. Cada grupo selec-
cionará una figura del mundo del cine o de la televisión y preparará una lista de
oraciones que lo (la) describen. Cada grupo leerá sus descripciones para que el
resto de la clase trate de adivinar la identidad de la persona.

MODELO: **¿Quién soy yo?**
Soy más bien bajo.
Soy muy cómico.
He actuado en cine y en televisión.
Hablo muy rápido y tengo mucha chispa.
En una película, hice el papel de profesor de literatura.
En la película *Aladino y la lámpara maravillosa* se escucha mi voz.
En una película, tuve que vestirme de mujer.
Hice el papel de un profesor que inventa una sustancia verde que
    cambia de forma.
Soy Robin Williams

Actividad 3: Entrevista con una estrella

Paso 1

Lee el siguiente artículo antes de venir a clase.

Rosie Pérez: *Una latina en Hollywood*

En un lugar tan cerrado como Hollywood, donde las actrices hispanas pueden
contarse con los dedos de las manos, Rosie Pérez parece ser la excepción
de la regla. En pocos años, a pesar de su juventud, se ha establecido como
una gran actriz. Comenzando con *Do the Right Thing* (*Haz lo correcto*), pasando
después por la comedia *White Men Can't Jump* (*Los hombres blancos no
saltan*), *Night on Earth* (*Una noche en la tierra*) y *Untamed Heart* (*Corazón
salvaje*), Rosie ha demostrado una y otra vez que posee un excepcional talento,
y en cada ocasión que se ha presentado en la pantalla se ha ganado la
admiración de los espectadores.

Conversamos con la actriz después del estreno de su última película.
— ¿Qué nos puede contar de su familia, dónde nació, en fin... ?
— *Nací en Brooklyn-Queens, justo en el límite de los dos barrios. Mis padres
    son de Puerto Rico, pero yo nací en Nueva York.*
— ¿Alguien de su familia pertenecía al mundo del espectáculo?
— *Mamá fue cantante cuando era joven, pero por muy poco tiempo.*
— ¿Y cómo pudo Ud. llegar hasta Hollywood?
— *Creo que tuve mucha suerte. Estaba en el lugar adecuado en el momento
    preciso. Y Spike Lee* (se refiere al conocido director de cine) *me vio y me
    pidió que trabajara en su filme* Haz lo correcto. *Por supuesto, acepté.*

— ¿Cómo ve Ud. su futuro?

— *Bueno, espero que muchas cosas cambien. Ahora, en Hollywood, se están escribiendo muchos libretos con papeles para mujeres hispanas. Desafortunadamente, la mayoría de ellos son papeles estereotipados. Me molesta mucho esto, desde luego. Como puertorriqueña y latina, siento una gran responsabilidad en este sentido. Necesito saber que no estoy comprometiendo a mi gente o mostrando una imagen que no es real. Espero que las cosas cambien y seguiré luchando para que así sea.*

— ¿Le gustaría trabajar en el teatro?

— *No sé, quizás lo haga si adquiero más confianza, porque es difícil para mí actuar frente al público. Me gusta esconderme tras la cámara.*

Paso 2

En parejas, piensen en diez preguntas que les gustaría hacerle a Rosie Pérez.

1. _____
2. _____
3. _____
4. _____
5. _____
6. _____
7. _____
8. _____
9. _____
10. _____

Paso 3

Ahora en grupos de tres o cuatro, hablen de otros actores y actrices hispanos y hagan comentarios sobre su actuación.

Actividad 4: La televisión de ayer y de hoy

Paso 1

En grupos de tres estudiantes, lean las siguientes descripciones y traten de identificar el personaje que habla y el programa que describe.

1. Vivo en un apartamento con mi papá. Soy sicólogo y tengo un programa de radio.

2. Soy un abogado famoso y mi hija es abogada también. Gano muchísimo dinero pero no me visto bien. Nunca pierdo un caso.

_____

3. Soy el capitán de una nave espacial. Nuestra misión es ir adonde no ha ido el hombre hasta ahora.

_____

4. Vivo en Nueva Inglaterra y soy escritora. Tengo una gran habilidad para investigar crímenes. ¡Siempre descubro al culpable!

_____

5. Trabajo en televisión, filmando documentales y anuncios comerciales. Estoy loco por mi esposa, que es rubia y muy bonita. Tengo un perro que se llama Murray.

_____

6. Soy el presentador de un programa sobre cómo hacer reparaciones en la casa, pero en realidad, no sé de lo que estoy hablando. Vivo con mi esposa y mis tres hijos.

_____

7. Soy médica y vivo en un pueblo muy pequeño con mi esposo y mis hijos. Siempre trato de ayudar a la gente.

_____

8. Antes era empleada en una tienda de bodas, pero ahora soy la niñera de los hijos de un hombre muy rico y muy guapo.

_____

9. Soy viudo y me casé con una viuda. Soy arquitecto. Mi esposa y yo tenemos seis hijos y todos nos llevamos muy bien.

_____

10. Soy cómico y mi vida es a veces una comedia. Mis amigos no son muy normales y tienen toda clase de problemas, especialmente Jorge.

_____

Paso 2

Ahora preparen descripciones de tres personajes de programas de televisión para que el resto de la clase trate de identificar el programa y el personaje.

1. _____
   _____
   _____

2. _____
   _____
   _____

3. _____
   _____
   _____

Actividad 5: La programación del lunes

Paso 1

En grupos de tres estudiantes, representen los papeles del (de la) director(a) de una estación de televisión, el (la) jefe(a) de programación y el (la) director(a) de publicidad. Uds. tienen que decidir la programación para los lunes entre las cinco de la tarde y la medianoche. Tienen siete programas establecidos para esa noche, pero les falta (*you still must*) decidir la hora en que se presentará cada programa. Discutan los puntos a favor y los puntos en contra de transmitir los siguientes programas a diferentes horas de la noche. ¿Cómo pueden atraer el mayor número de espectadores?

1. un programa de variedades
2. un programa de entrevistas
3. una comedia con un actor desconocido
4. una serie policíaca
5. una telenovela
6. un programa de documentales
7. un telediario

...............CANAL 2

El Canal De Las Estrellas

Paso 2

Ahora escriban una breve descripción de la programación del lunes para la guía de espectáculos. Denle nombre a cada programa y descríbanlo.

Programación del lunes

17:00 _____

_____

_____

18:00 _____

_____

_____

19:00 _____

_____

_____

20:00 _____

_____

_____

21:00 _____

_____

_____

22:00 _____

_____

_____

23:00 _____

_____

_____

Actividad 6: ¿Nos suscribimos o no?

Paso 1

Tú y un(a) compañero(a) están pensando en la posibilidad de añadir (*add*) un canal especial a su servicio de cable. Estudien el anuncio y contesten las siguientes preguntas.

Si en su casa no se estrenó 365. Solicítelo hoy sin cargo a su cable.

Si su cable no emite Canal de Cine 365, llene este cupón de solicitud sin cargo y envíeselo. El cupón puede fotocopiarse para que también lo pidan sus familiares y amigos.

Me gustaría recibir la señal de Canal de Cine 365.

Nombre: ....

Dirección: ....

Código Postal: .... Localidad: ....

Via Satélite 12 horas diarias. Nuestra programación comienza a las 14:00 hs. con espacios de cine ATP hasta las 21:00 hs., después las mejores series y en el horario central, a partir de las 22:00 hs., nuestro prestigioso ciclo VIDEO CLUB, con las mejores películas editadas hasta hoy. Más de 1.300.000 personas ya lo disfrutan en todo el país.

Si usted es empresario de cable comuníquese con nosotros y recibirá nuestra señal: **Telesistemas S.A.** Avda. Córdoba 669 4° y 8° p. – (1054) Capital Federal
Teléfonos: 311·4021 /4492 /1398 - 313·8171 /8183 312·9399 - Fax 313·7938

1. ¿Hay que pagar extra para iniciar el servicio del nuevo canal?
2. ¿Les conviene a Uds. el horario que tiene el Canal de Cine 365? ¿Por qué o por qué no?
3. ¿Cuáles serán las ventajas de suscribirse a este servicio?
4. ¿El anuncio les da suficiente información para determinar si quieren suscribirse? Expliquen su respuesta.
5. Si conocen a otras personas que quieren suscribirse a este canal, ¿qué pueden hacer Uds. para ayudarlos?

Paso 2

Ahora hablen sobre algunos programas que se transmiten por cable. ¿De qué tipo son? Hablen también de las ventajas y desventajas de la televisión por cable.

Actividad 7: La televisión: ¿Ayuda o perjudica?

Paso 1

Mucho se ha dicho sobre la influencia de la televisión en el público. Algunos opinan que esa influencia es mayormente negativa, mientras que otros creen que es positiva. ¿Qué opinan Uds.? En grupos de cuatro estudiantes, hablen de los aspectos positivos y de los aspectos negativos de la televisión. Anoten sus ideas para poder compartirlas con el resto de la clase.

Aspectos positivos:

_____

_____

_____

_____

_____

_____

Aspectos negativos:

_____

_____

_____

_____

_____

_____

Paso 2

Ahora cada grupo escribirá su lista en la pizarra. Basándose en las listas, discutan con toda la clase el efecto de la televisión en sus vidas. Consideren lo que puede hacer el público para que haya mejores programas y para suprimir, o por lo menos disminuir, los que resultan perjudiciales (*harmful*), especialmente para los niños y los jóvenes.

Sugerencias para mejorar los programas:

_____

_____

_____

_____

_____

Actividad 8: ¿Qué pasa aquí?

Paso 1

Ésta es una escena de una película. En parejas, tomen la foto como base y usen la imaginación para crear la trama de la película. Hablen sobre ella y sobre los personajes que aparecen aquí.

1. Título de la película

   _____

2. Tipo de película

   _____

3. Nombre y "biografía" de los personajes principales

   _____

   _____

   _____

   _____

   _____

_____

_____

_____

_____

_____

_____

4. ¿Qué pasa en la película?

_____

_____

_____

_____

_____

_____

_____

_____

Paso 2

Comparen lo que Uds. han creado con lo que han hecho los demás miembros de la clase. ¿Cuál de las películas creadas merecería un Óscar? ¡Voten!

Actividad 9: Críticos de cine

En parejas, representen a dos críticos(as) que tienen un programa de televisión semanal sobre el cine. Escojan dos películas que hayan visto últimamente y hagan una crítica de ellas. Comparen sus opiniones y discutan los puntos en que no están de acuerdo. Tengan en cuenta los siguientes aspectos de las películas.

1. la originalidad de la trama: ¿Es realmente nueva, o es algo que han visto cientos de veces?
2. la actuación de los actores y actrices: ¿Es convincente?
3. algunas escenas importantes: ¿Pasan cosas convencionales, asombrosas, inesperadas?
4. la cinematografía: ¿Es buena, o deja algo que desear?

Como sistema de valoración pónganles estrellas a las películas, hasta un máximo de cuatro para una película muy buena. ¡Recuerden que, además de informar a los televidentes, tienen que entretenerlos!

Actividad 10: ¿Qué título le ponemos?

Paso 1

Las películas y los programas de televisión norteamericanos son muy populares en los países de habla hispana, donde muchas veces las presentan con títulos muy diferentes a los que tienen en inglés. Por ejemplo, la famosa película *Jaws* se llama *Tiburón* (*shark*) en español. La clásica *Gone with the Wind* se llama *Lo que el viento se llevó* y el nombre que le dan a la comedia *The Paper* es aún más diferente: *Detrás de la noticia.* Este título está basado en la trama.

Teniendo en cuenta todo esto, reúnete con dos o tres compañeros(as) para tratar de darles títulos en español a diez películas o programas de televisión.

1. _____
2. _____
3. _____
4. _____
5. _____
6. _____
7. _____
8. _____
9. _____
10. _____

Paso 2

Léanle sus títulos al resto de la clase para que trate de adivinar cuáles son las películas o los programas que Uds. eligieron. ¿Algunos grupos escogieron las mismas películas o los mismos programas? ¿Les dieron los mismos nombres en español o nombres muy diferentes?

Actividad 11: Para conocernos mejor

En grupos de dos, háganse las siguientes preguntas.

1. ¿Tú prefieres los programas de entrevistas o los programas de variedades? ¿Por qué?
2. ¿Quién crees tú que es el mejor presentador de televisión? ¿Y la mejor presentadora? ¿Quién no te gusta?
3. Si tú pudieras suprimir un programa de televisión, ¿cuál suprimirías? ¿Por qué?
4. De los telediarios, ¿cuál te parece el mejor? ¿Por qué?
5. ¿Hay alguien en tu familia que sea adicto(a) a las telenovelas? ¿Quién?

6. ¿Tú tienes servicio de cable? ¿Qué ventajas tiene?

7. ¿Qué anuncios comerciales crees tú que son más convincentes: los que aparecen en los periódicos o los que se presentan en televisión? ¿Por qué?

8. ¿Veías muchos dibujos animados cuando eras niño(a)? ¿Cuál era tu personaje favorito?

9. ¿Tú crees que mirar mucha televisión es perjudicial para los niños? ¿Por qué?

10. Cuando vas al cine, ¿prefieres ver una comedia o un drama? ¿Por qué?

11. Últimamente, ¿has visto alguna película que te haya gustado mucho? ¿Cuál? ¿La volverías a ver?

12. ¿Has comprado la banda sonora de alguna película que te haya gustado? ¿De cuál?

13. ¿Tú siempre estás de acuerdo con lo que dicen los críticos de las películas? ¿Quién crees tú que es el (la) mejor crítico(a)?

14. ¿A qué actor o actriz le otorgarías tú un Óscar? ¿Por qué?

15. ¿Tú te casarías con un actor (una actriz) de televisión o de cine? ¿Por qué?

Dichos y refranes

Lee los siguientes diálogos en voz alta con un(a) compañero(a). Traten de averiguar el significado de los dichos en cursiva y de determinar si tienen equivalente en inglés.

1. — Las dos primeras películas de ese director tuvieron mucho éxito, pero las que ha hecho últimamente no valen mucho.

   — Sin embargo, la gente va a verlas.

   — Es que es cierto lo que dice el refrán: *Hazte de fama y échate a dormir.*

2. — Miguel Ángel Vargas ganó el premio como el mejor actor, ¿no?

   — Sí, y los que antes no quisieron darle un contrato, ahora lo lamentan.

   — El, por supuesto está contentísimo.

   — Bien dicen que *el que ríe último, ríe mejor.*

3. — ¡Pobre Arturo! Últimamente todo le va mal.

   — Sí, pero él nunca se queja. Siempre tiene una sonrisa en los labios.

   — Es que él cree que lo mejor es poner *a mal tiempo, buena cara.*

Megavisión

¡Mucho que ver!

⊟ Y ahora... ¡escucha!

Vas a escuchar parte de un programa en el que dos críticos de cine, Juan Carlos Rey y María Luisa Salgado, comentan las películas que se han estrenado recientemente. Lee lo siguiente antes de escuchar la cinta. Al escucharla, presta atención y trata de anotar los datos más importantes. Si no entiendes algo, escucha la cinta otra vez.

Título de la primera película: _____

Comentarios de los críticos sobre...

    la película en general: _____

    la actuación de Mario López: _____

    el personaje que representa: _____

Título de la segunda película: _____

Comentarios de los críticos sobre...

    el tipo de novela adaptada para la película: _____

    el final de la película: _____

    sus posibilidades de ganar un premio: _____

    el éxito de una segunda parte: _____

Título de la tercera película: _____

Comentarios de los críticos sobre...

    el tipo de película: _____

    las emociones que experimentarán los espectadores: _____
_____

    los personajes: _____

Título de la cuarta película: _____

Comentarios de los críticos sobre...

    los elementos que le faltan a la película: _____
_____

    las probabilidades de éxito: _____

Vocabulario clave

Nombres
la actuación   acting
el anuncio comercial   commercial
el canal (de televisión)   (television) channel
la comedia   comedy
el cómico, el (la) comediante   comedian
la confianza   trust
el (la) crítico(a)   critic
el (la) culpable   guilty person, culprit
los dibujos animados   animated cartoons
el documental   documentary
el (la) empresario(a)   entrepreneur
el espectáculo   show
el éxito   success
la habilidad   skill
el libreto   script, screenplay
los medios de comunicación   communications media
la nave espacial   spaceship
la niñera   nanny
la pantalla   screen
la película de suspenso   thriller
el premio   prize
el (la) presentador(a)   host (*of a program*)
el (la) productor(a)   producer
el programa de entrevistas   talk show
el programa de variedades   variety show
la programación   programming
la publicidad, la propaganda   advertising; publicity
el pueblo   town
la señal   signal

la serie   series
el telediario   television news program
la telenovela   soap opera
el (la) televidente   television viewer
la trama   plot
la videograbadora   videocassette recorder

Verbos
casarse   to get married
comprometer   to compromise
estrenar   to show for the first time
iniciar   to initiate
otorgar   to award
proyectar   to project
transmitir   to broadcast

Adjetivos
asombroso(a)   amazing, astonishing
convincente   convincing
desconocido(a)   unknown
inesperado(a)   unexpected
perjudicial   harmful
policíaco(a)   related to crime or law enforcement

Otras palabras y expresiones
a causa de   because of, on account of
dejar algo (mucho) que desear   to leave something (a great deal) to be desired
más bien   rather
no cabe duda   there's no doubt
no me extrañaría   it wouldn't surprise me
tener chispa   to be witty
toda clase de   all sorts of

Para hablar de...

Películas y programas de televisión

de acción action
de ciencia-ficción science fiction
de concursos game shows
de guerra war

de misterio mystery
del oeste western
de reestreno rerun

La producción de una película o de un programa

la banda sonora sound track
los efectos especiales special effects
el papel role
el plató set
el programa piloto pilot
el reparto (distribución) de papeles casting

actuar to act
dirigir (yo dirijo) to direct
filmar, rodar (o → ue) to film
producir (yo produzco) to produce
promocionar to promote

¡Luz, cámara, acción!

En parejas, conversen sobre lo siguiente, usando el vocabulario que se ha presentado en esta lección.

1. los tipos de película que han visto últimamente
2. el tipo de película que más les gusta ver y por qué
3. los programas de televisión que miran generalmente
4. los programas de reestreno que miran y por qué les gusta
5. si les gustaría más actuar en una película, producirla o dirigirla. Expliquen por qué opinan de esa manera.
6. los actores y las actrices que Uds. escogerían si estuvieran a cargo (*in charge*) del reparto de una película de acción con muchos efectos especiales. Razones por las cuales los escogerían. El lugar donde filmarían la película. (¿Por qué escogerían ese lugar?) El tipo de música que escogerían para la banda sonora. Lo que harían para promocionar la película.

LECCIÓN 12

- ✦ *Influencia hispánica en Estados Unidos*
- ✦ *El español en la vida profesional*
- ✦ *La publicidad en español*
- ✦ *Cómo llegar a dominar un idioma*
- ✦ *Estudios en el extranjero*
- ✦ *Para conocernos mejor*

¡Aquí se habla español!

La calle Olvera en Los Angeles, California.

En grupos

Actividad 1: ¿Qué pasa aquí?

Paso 1

En parejas, miren estas fotografías y hablen de cómo muestran la gran influencia hispana que existe en Estados Unidos. ¿Qué información pueden dar Uds. acerca de los lugares y de las tradiciones que se muestran en las fotos?

Paso 2

Ahora hablen de otros aspectos de la influencia hispánica en Estados Unidos. Incluyan lo siguiente.

1. la comida
2. la arquitectura
3. la música

4. el baile
5. el arte
6. otros aspectos de la vida diaria

Actividad 2: ¡Es una ventaja ser bilingüe!

Paso 1

En parejas, lean el siguiente anuncio y contesten las preguntas.

AGENCIA DE EMPLEOS
CABAÑAS E HIJOS

Se solicitan
PERSONAS BILINGÜES

(inglés – español)

para los siguientes empleos:

agentes de relaciones públicas	paramédicos
agentes de seguros	peluqueros
cajeros	recepcionistas
contadores	secretarios
chóferes	telefonistas
dependientes	terapistas
enfermeros	traductores
intérpretes	vendedores

Llámenos de lunes a viernes entre las 9:00 y las 5:00 para hablar con uno de nuestros agentes, que le informará sobre los requisitos necesarios para cada empleo. Si está interesado en alguno de estos empleos, haga una cita para recibir más información y llenar la solicitud correspondiente.

Calle Quinta, No. 315, Segundo Piso
Teléfono 452-8930

---

1. ¿Podría una persona monolingüe conseguir uno de los empleos anunciados? ¿Por qué?
2. ¿Qué información se puede obtener sin ir a la agencia de empleos?
3. ¿Para qué se debe ir a la agencia?
4. ¿Dónde queda la agencia Cabañas e Hijos?
5. ¿Está abierta la oficina los fines de semana?
6. ¿Para cuáles de los empleos se necesita una educación universitaria?
7. ¿Cuáles de los empleos requieren algún tipo de conocimiento médico?
8. ¿Cuáles de los empleos podrían Uds. desempeñar (*perform*) actualmente?
9. ¿Cuáles de estos empleos consideran Uds. mejor pagados?

Paso 2

Representen una escena entre un(a) empleado(a) de la agencia de empleos Cabañas e Hijos y una persona que llama para pedir información sobre dos o tres de los empleos anunciados.

Paso 3

Ahora hablen de otras profesiones y tipos de trabajo en los que el conocimiento del español es muy útil y comenten por qué. Después, comparen sus respuestas con las de otros grupos. ¿Qué profesiones y tipos de trabajo seleccionó la mayoría? ¿Cuál creen Uds. que es la mejor manera de prepararse para poder usar el español como herramienta (tool) de trabajo?

Actividad 3: Un negocio de habla hispana

Imagínate que tú planeas establecer un negocio y que esperas atraer a clientes de habla hispana. De la lista que aparece a continuación, selecciona el tipo de negocio que te gustaría iniciar. Busca entre tus compañeros a otra persona a quien le gustaría ser tu socio(a) y juntos(as) preparen un anuncio para hacerle propaganda a su negocio en la prensa. Antes de preparar el anuncio hablen sobre la información que debe contener y de cómo la van a presentar para atraer al mayor número posible de clientes.

Posibles negocios

una tienda de ropa
una tienda de objetos de regalo
una academia para aprender
   inglés
un hotel
una peluquería/una barbería

una estación de servicio/un taller
   de mecánica
una agencia de viajes
una agencia de empleos
un gimnasio
una agencia de bienes raíces

Tu Futuro no es un juego !

Asegúralo ingresando al mundo del Diseño y la Publicidad, estudia...

Diseño Gráfico

Actividad 4: ¿Los reconoce?

¿Pueden Uds. identificar a algunos hispanoamericanos y españoles que han logrado fama internacional? En parejas, traten de encontrar, en la columna **B**, la información que corresponde a lo que aparece en la columna **A**.

A	B
1. Jennifer López	a. Actor cubanoamericano conocido por sus actuaciones en la películas *Cuando un hombre ama a una mujer* y *La noche cae sobre Manhattan,* entre otras.
2. Gloria Estefan	
3. Andy García	
4. Antonio Banderas	b. Fundador mexicoamericano del sindicato "United Farm Workers" que luchó para mejorar las condiciones de trabajo de los campesinos.
5. Laura Esquivel	
6. César Chávez	
7. Enrique Iglesias	
8. Oscar Hijuelos	c. Famosa diseñadora colombiana creadora de un perfume que lleva su nombre.
9. Carolina Herrera	

d. Cantante español que sigue los pasos de su padre. Su álbum *Vivir* vendió más de tres millones de copias el primer día. Ganó el premio Grammy.

e. Actriz de origen puertorriqueño que hizo el papel de Selena, la trágicamente desaparecida cantante mexicana.

f. Escritor cubanoamericano, ganador del premio Pulitzer por su novela *Los reyes del mambo tocan canciones de amor.*

g. Actor de cine nacido en España. Se le considera el nuevo Rodolfo Valentino. Actuó en la película *Evita.*

h. Autora de origen mexicano. Escribió *Como agua para chocolate,* obra que fue llevada al cine. Ha recibido varios premios por sus trabajos literarios.

i. Cantante de origen cubano fundadora del grupo Miami Sound Machine. Actualmente graba discos en inglés y en español. Ha recibido numerosos premios, entre ellos el premio Grammy.

Paso 2

Ahora contesten las siguientes preguntas.

1. ¿Qué es lo que casi todos los estudiantes sabían y qué es lo que no sabía la mayor parte de la clase?
2. ¿Qué aprendieron Uds. al hacer esta actividad?

Actividad 5: ¿Qué haces para mejorar tu español?

Paso 1

Completa el siguiente cuestionario para comprobar si, en realidad, aprovechas todas las oportunidades que se te ofrecen para practicar el español y llegar, algún día, a tener un dominio completo del idioma.

Siempre	A veces	Nunca	
☐	☐	☐	1. Hago la tarea de español cuidadosamente.
☐	☐	☐	2. Escucho las cintas por lo menos dos veces.
☐	☐	☐	3. Asisto a clase y soy puntual.
☐	☐	☐	4. Presto atención en la clase.
☐	☐	☐	5. Hablo español cada vez que se me presenta la oportunidad.
☐	☐	☐	6. Escucho programas en español en la radio.
☐	☐	☐	7. Miro programas de televisión en español.
☐	☐	☐	8. Leo revistas y periódicos en español.
☐	☐	☐	9. Leo libros en español.
☐	☐	☐	10. Busco oportunidades de hablar con personas de países de habla hispana.
☐	☐	☐	11. Cuando no sé decir algo en español, se lo pregunto a un hispanohablante.
☐	☐	☐	12. Leo artículos sobre la cultura hispánica.
☐	☐	☐	13. Utilizo el diccionario.
☐	☐	☐	14. Aprendo canciones y poemas en español.
☐	☐	☐	15. Voy al cine a ver películas en español.
☐	☐	☐	16. Alquilo o compro videos en español.
☐	☐	☐	17. _____

Paso 2

En grupos de cuatro estudiantes, comparen sus respuestas. ¿Cuáles son las cosas que casi todos Uds. hacen? ¿Cuáles son las cosas que Uds. no hacen, que deben hacer? Intercambien sugerencias para mejorar.

Actividad 6: ¿Algún día hablaré bien...?

Paso 1

En grupos pequeños, lean la carta que Marcela Sandoval, una chica de Costa Rica, le escribe a un amigo de Venezuela. Los dos están tratando de aprender inglés y tienen muchos problemas.

Querido Pablo:

Acabo de llegar de mi clase de inglés y estoy un poco frustrada. Mi profesora me devolvió una composición que yo había escrito y tenía más rojo que negro. Lo que me resulta difícil, al tratar de escribir en inglés, no es la ortografía —a pesar de que este bendito idioma tiene más excepciones que reglas— sino la construcción de las oraciones. ¡Uno tendría que aprender a pensar al revés!

¡Ah! La semana pasada conocí a unos chicos americanos muy simpáticos y aproveché la oportunidad para practicar mi inglés. ¡Qué desilusión! Cuando hablaban rápido me parecía que estaban diciendo una sola palabra larguísima. Además, usaban muchas expresiones que yo no entendía. Lo peor fue cuando yo traté de hablar con ellos, porque yo pensaba en español, lo traducía al inglés, y salía con un montón de disparates. Por ejemplo, traté de decirle a Amy que mi hermanita "hablaba hasta por los codos", pero cuando mencioné la palabra elbow, ella me miró como si estuviera hablando chino. Después, hablando con Kevin de una decisión que tenía que tomar, quise decir que "lo consultaría con la almohada". ¡La palabra pillow lo dejó en ayunas!

En cuanto a mi pronunciación, va de mal en peor, pues, en vez de decir que no volvería a abrir la boca, lo que dije fue que nunca más iba a abrir mi ratón.

En mis otras clases me va bien. ¿Qué tal te va a ti? Escríbeme pronto.

Cariños,

Marcela

Paso 2

Leyendo esta carta, ¿qué semejanzas encuentran Uds. entre los problemas de Marcela con el inglés y los de Uds. con el español? Incluyan lo siguiente en sus comentarios.

1. los problemas que tienen cuando escriben en español
2. lo que sucede cuando Uds. hablan en español con hispanohablantes
3. problemas que tienen con la pronunciación
4. el vocabulario que tienen que aprender en cada lección
5. cómo les va en esta clase
6. si piensan continuar estudiando español

Comparen los problemas que Uds. tienen con los de los otros grupos. ¿Cuáles son los más comunes? ¿Qué consejos pueden darse unos a otros para solucionar estos problemas? ¿Cuántos estudiantes de la clase piensan continuar estudiando español?

Actividad 7: ¡Estudia español en España!

Paso 1

Los estudiantes de tu clase están considerando la posibilidad de ir a estudiar a España. En parejas, estudien el anuncio y contesten las siguientes preguntas.

CLASES AVANZADAS DE LENGUA Y CULTURA ESPAÑOLAS PARA ESTUDIANTES EXTRANJEROS EN LA UNIVERSIDAD DE OVIEDO

27 de junio – 7 de agosto

Nivel: Intermedio
(Un mínimo de dos años de estudios a nivel universitario o su equivalente)

Programa de estudios: Cursos de Fonética, Cultura y Civilización, Composición y Conversación, Literatura, Historia de España e Historia del Arte.

Viajes: El programa incluye un viaje de dos semanas en autocar con estancia en Madrid, Toledo, Segovia, Valladolid, Santander, León, Salamanca, Sevilla, Córdoba y Granada.

Hospedaje: Los estudiantes se hospedan en casas de familias cuidadosamente seleccionadas.

Costo total: US $1.800 (pasaje en avión no incluido)

Para más información, diríjase a: Dra. María Isabel Ruiz
Directora, Instituto de Verano
Universidad de Oviedo
Apartado de Correos 314
33012 Oviedo (Asturias)
España
Fax: (34-8) 21-33-07

¡La mejor manera de aprender la lengua de un país es estar allí!

---

1. ¿Les convienen a Uds. las fechas del programa? ¿Por qué o por qué no?
2. De las clases que se ofrecen en el programa, ¿cuáles son las dos que más les interesan? ¿Por qué?

3. Si la directora del programa les preguntara a Uds. qué otras clases les gustaría que se ofrecieran en el programa, ¿qué le dirían?
4. ¿Con qué tipo de familia les gustaría hospedarse a Uds.?
5. ¿Cuánto dinero creen Uds. que van a necesitar en total para asistir a este programa? Tengan en cuenta el costo del pasaje y el dinero que necesitan para sus gastos personales.
6. ¿Cuáles son las ventajas que tendrían si pudieran ir a España y estudiar en este programa?

Paso 2

Ahora representen una escena entre un(a) estudiante que tiene interés en asistir a un programa de verano en un país de habla hispana y el (la) director(a) de uno de los programas que el (la) estudiante está investigando. El (La) estudiante debe obtener información sobre:

1. el costo y la duración del programa
2. el país y la ciudad en que se ofrece el programa
3. actividades, excursiones, etc., que incluye el programa
4. otros detalles pertinentes

El (La) director(a) debe contestar las preguntas y hablarle de las ventajas del programa. También debe informarle sobre lo que tiene que hacer para solicitar su ingreso en el programa (documentos necesarios, requisitos, etc.).

Actividad 8: ¿Qué harían Uds.?

Paso 1

En este país uno nunca sabe (*one never knows*) cuándo le va a ser útil poder hablar español. En parejas, hablen de lo que querrían decir en las siguientes situaciones.

1. Una famosa escritora latinoamericana ha dado una conferencia en la universidad y Uds. están entre los estudiantes que han sido invitados a cenar con ella.
2. Una tarde, cuando están de compras en un centro comercial, Uds. encuentran a un niño perdido que sólo habla español.
3. Uds. están en el aeropuerto. Acaban de anunciar la cancelación del vuelo que iban a tomar y un turista hispanohablante que no ha entendido el anuncio les pregunta qué ha pasado y qué debe hacer.
4. Uds. trabajan como voluntarios en el centro cívico de su ciudad. Hoy les toca contestar el teléfono del centro y llaman varios residentes hispanohablantes para preguntar por las actividades que se organizan.

Paso 2

Ahora júntense con otros(as) dos estudiantes para hablar de otras situaciones frecuentes de la vida diaria en las que les convendría poder hablar español.

Actividad 9: Un poema dedicado a la lengua española

Vas a leer un poema dedicado a la lengua española, escrito por Juana de Ibarbourou (1895–1979), una famosa poetisa uruguaya que está considerada como una de las mejores escritoras del continente, y a la que se conoce con el nombre de "Juana de América".

Antes de leer el poema en la página siguiente, familiarízate con los términos que aparecen a continuación.

1. **cantares:** Poesía popular española en la que se cuenta la vida de personajes históricos, legendarios o tradicionales. El más famoso es el "Cantar del Mío Cid", escrito en el siglo XII.

2. **El Romancero:** Colección de poesías populares españolas llamadas *romances*, cuya métrica se mantiene hasta nuestros días.

3. **Teresa la mística:** Santa Teresa de Jesús, escritora religiosa del siglo XVI. Nació en Ávila, España.

4. **El Manco:** Miguel de Cervantes Saavedra, escritor español del siglo XVI que es, para la lengua española, lo que es Shakespeare para la inglesa. Se le llama el Manco (*one-handed man*) de Lepanto porque perdió el uso de la mano izquierda peleando en defensa de su patria en la famosa batalla de Lepanto (1571). Es el creador de don Quijote.

5. **Mariano José de Larra:** Escritor y crítico español del siglo XIX, famoso por su visión pesimista de la España de su época.

6. **vidalita:** Música típica de Argentina y Chile, que se puede considerar "poesía para cantar".

Glosario

el desengaño disappointment	**agobiar** to overwhelm
el hastío tedium	**arrullar** to lull
la llama flame	**rezar** to pray
el llanto weeping	
los luceros bright stars	**altanero(a)** proud
el manantial spring, fountain	**osado(a)** daring
la miel honey	**recio(a)** strong
la queja lament	**vivo(a)** alive

Elogio de la lengua castellana

¡Oh lengua de los cantares!
¡Oh lengua del Romancero!
Te habló Teresa la mística
Te habla el hombre que yo quiero.

En ti he arrullado a mi hijo
E hice mis cartas de novia.
Y en ti canta el pueblo mío
El amor, la fe, el hastío,
El desengaño que agobia.

¡Lengua en que reza mi madre
Y en la que dije: ¡Te quiero!
Una noche americana
Millonaria de luceros!

La más rica, la más bella,
La altanera, la bizarra,
La que acompaña mejor
Las quejas de la guitarra.
¡La que amó el Manco glorioso
Y amó Mariano de Larra!

Lengua castellana mía,
Lengua de miel en el canto,
De viento recio en la ofensa,
De brisa suave en el llanto.

La de los gritos de guerra
Más osados y más grandes.
¡La que es cantar en España
Y vidalita en los Andes!

¡Lengua de toda mi raza,
Habla de plata y cristal,
Ardiente como una llama,
Viva cual un manantial!

(de *Dualismo*, 1953)

Actividad 10: Para conocernos mejor

En grupos de dos, háganse las siguientes preguntas.

1. ¿Tú hablas español cada vez que se te presenta la oportunidad?
2. ¿Qué sucedió la primera vez que trataste de hablar español?
3. ¿Te sientes frustrado(a) a veces cuando tratas de hablar español? ¿Tienes muchos amigos de habla hispana?
4. Tu pronunciación en español, ¿ha mejorado o va de mal en peor?
5. Cuando oyes una conversación en español, ¿te quedas en ayunas?
6. ¿Qué es lo que te resulta más difícil en esta clase? ¿Y lo más fácil?
7. ¿Qué otros cursos de español te gustaría tomar? ¿Piensas tomarlos?
8. ¿Qué tal te va en tus otras clases?
9. ¿Tú crees que podrías desempeñar un trabajo en el que tuvieras que hablar mucho español?
10. ¿Usas el español en tu trabajo algunas veces?
11. ¿Has ido alguna vez a una agencia de empleos para buscar trabajo?
12. ¿Has pertenecido alguna vez a un sindicato?
13. ¿Sabes alguna frase publicitaria en español? ¿Cuál?
14. ¿Te gustaría ir a estudiar a un país extranjero? ¿A cuál?
15. Si tomaras un curso de verano en un país de habla hispana, ¿preferirías hospedarte en una pensión o vivir con una familia?
16. Cuando tienes que escribir un informe, ¿usas la computadora o la máquina de escribir? ¿Por qué?
17. Cuando usas la computadora, ¿prefieres usar el ratón o el teclado (*keyboard*)? ¿Por qué?
18. En cuanto a tu profesión, ¿sigues los pasos de tu padre? ¿De tu madre?
19. Cuando tienes un problema, ¿lo consultas con la almohada?
20. ¿Tú conoces a alguien que hable hasta por los codos? ¿A quién?

Dichos y refranes

¿Recuerdas los dichos y refranes que has aprendido a lo largo de (*throughout*) este libro? En parejas, combinen los refranes o dichos de la columna **A** con lo que aparece en la columna **B**.

A

1. Querer es poder.
2. La educación empieza en la cuna y acaba en la tumba.
3. El que la hace, la paga.
4. A buena hambre no hay pan duro.
5. Perro que ladra, no muerde.
6. No todo lo que brilla es oro.
7. Más vale tarde que nunca.
8. Contigo, pan y cebolla.
9. Errar es humano; perdonar es divino.
10. No sólo de pan vive el hombre.
11. Más sabe el diablo por viejo que por diablo.
12. A mal tiempo, buena cara.
13. El que mucho abarca, poco aprieta.
14. Sobre gustos, no hay nada escrito.
15. De músico, poeta y loco, todos tenemos un poco.

B

a. Es muy sabio porque ha vivido mucho.
b. Si tratas de hacer muchas cosas, no harás ninguna bien.
c. Aunque no tengas dinero, quiero pasar mi vida a tu lado.
d. Todos cometemos errores que deben ser perdonados.
e. Sonríe aun cuando tengas problemas.
f. Todos tenemos virtudes y defectos.
g. Si has hecho mal en la vida, serás castigado.
h. Las cosas materiales no son las únicas que importan.
i. Lo que a una persona le parece bonito, a otra puede parecerle feo.
j. Nunca se acaba de aprender.
k. El que más amenaza, menos hace.
l. Cuando uno tiene mucho apetito, todo sabe bien.
m. Cuando hay voluntad, todo es posible.
n. Es mejor hacer algo tarde que no hacerlo.
o. Las cosas no son siempre lo que parecen.

⌨ Y ahora... ¡escucha!

Vas a escuchar parte de una charla que se ofreció en una universidad en California. Lee lo siguiente antes de escuchar la cinta. Al escucharla, presta atención y trata de anotar los datos más importantes. Si no entiendes algo, escucha la cinta otra vez.

Persona que ofrece la charla: _____

Lugar de la charla: _____

Tema: _____

Fecha del Día de la Independencia mexicana: _____

Fecha y año de la batalla de Puebla: _____

País que ocupó a México: _____

Título dado a Maximiliano de Austria: _____

Año en que las tropas de Benito Juárez derrotaron a los invasores: _____

Ciudad norteamericana cuya celebración menciona la profesora:

_____

Calle donde se celebra la fiesta: _____

Tiempo que dura la celebración: _____

Elementos de la fiesta: _____

_____

_____

Vocabulario clave

Nombres

el (la) agente de seguros   insurance agent

el anuncio   announcement

el apartado de correos, el apartado postal   post office box

los bienes raíces   real estate

la caja   box; cash register

el (la) cajero(a)   check-out person; bank teller

el (la) campesino(a)   farm worker

el centro cívico   civic center

el conocimiento   knowledge

el (la) fundador(a)   founder

el gabinete   cabinet

el (la) hispanohablante   Spanish-speaker

el paso   footstep, step

la pensión   boarding house

las raíces   roots

el **ratón**   mouse
el **sindicato**   labor union
el (la) **socio(a)**   partner
el (la) **terapista**   therapist
la **vida diaria**   daily life

Verbos
amenazar   to threaten
desempeñar   to perform, to carry out
hospedarse   to lodge
saber(a)   to taste (*like something*)
suceder   to happen

Adjetivos
bendito(a)   blessed
ganador(a)   winning
sabio(a)   wise

Otras palabras y expresiones
acabar de (+ inf.)   to have just (*done something*)
al revés   backwards
consultarlo(la) con la almohada   to sleep on it
de habla hispana   Spanish-speaking
de mal en peor   from bad to worse
dejar en ayunas a alguien   to leave someone baffled
hablar hasta por los codos   to be a real chatterbox
irle bien (mal) a uno   to do well (badly)
resultarle difícil a uno   to find (something) difficult

Para hablar de...

La vida profesional
la **campaña publicitaria**   ad campaign
el (la) **candidato(a)**   candidate (*for a job*)
el **entrenamiento**   on-the-job training
la **experiencia**   employment history
la **máquina de escribir**   typewriter

Expresiones usadas en la publicidad
el **descuento**   discount
la **frase publicitaria**   slogan
la **garantía**   guarantee
la **inauguración**   grand opening
la **marca registrada**   trademark
los **precios más bajos**   rock-bottom prices

el (la) **mecanógrafo(a)**   typist
el **resumé**   résumé
la **zona, la región**   sales territory
escribir a máquina   to type
llevar la contabilidad   to keep the books
tener conocimientos de computadoras   to be computer literate

el **servicio**   service
la **última moda**   the latest fashion
de alta calidad   high-quality
de lujo   deluxe
increíble   incredible

¡Aquí se habla español!

En parejas, conversen sobre lo siguiente, usando el vocabulario que se ha presentado en esta lección.

1. si creen que es conveniente o no comprar en las tiendas donde obtienen descuentos y por qué
2. si creen que es mejor comprar artículos de marca registrada o productos genéricos. ¿Por qué?
3. lo que piensan de las campañas publicitarias. ¿Cuál(es) consideran apropiada(s) y cuál(es) consideran inapropiada(s)?
4. las frases publicitarias que les parecen efectivas y las que creen que no lo son. ¿Por qué?
5. si creen que es importante tener conocimientos de computadoras. ¿Por qué?
6. si creen que es necesario o no recibir entrenamiento antes de empezar a trabajar. ¿Por qué?
7. la experiencia o los conocimientos que tienen para realizar algún trabajo
8. si saben cómo preparar un resumé y lo que creen que es necesario incluir en él para que sea efectivo

APÉNDICE

Dichos y refranes por lección

Lección 1

El saber no ocupa lugar.	Knowledge doesn't take up any space.
La educación empieza en la cuna y termina en la tumba.	Education begins in the cradle and ends in the grave.
Más sabe el diablo por viejo que por diablo.	Formal education isn't the only source of knowledge. (*Lit.: The devil knows more from being old than from being a devil.*)

Lección 2

Más vale pájaro en mano que cien volando.	A bird in the hand is worth two in the bush. (*Lit.: A bird in the hand is worth one hundred flying.*)
El tiempo es oro.	Time is money. (*Lit.: Time is gold.*)
No sólo de pan vive el hombre.	Man does not live by bread alone.

Lección 3

Aunque la mona se vista de seda, mona se queda.	You can't make a silk purse out of a sow's ear. (*Lit.: A monkey dressed in silk is still a monkey.*)
La moda no incomoda.	Fashion isn't an inconvenience.
No todo lo que brilla es oro.	All that glitters is not gold.

Lección 4

De músico, poeta y loco, todos tenemos un poco.	There's a bit of the musician, the poet, and the crazy person in all of us.
Una cosa es con guitarra y otra cosa es con violín.	Problems seem easy to solve when they're not yours. (*Lit.: It's one thing to play the guitar, and another to play the violin.*)
Si el sabio no aprueba, malo; si el necio aplaude, peor.	If a wise person doesn't approve, it's bad; if a stupid person applauds, it's worse.

Lección 5

Sobre gustos no hay nada escrito.	There's no accounting for taste.
La belleza y la hermosura poco duran.	Beauty is fleeting.
El amor es un pasatiempo que pasa con el tiempo.	Love is a pastime that passes with time.

Lección 6

Es mejor prevenir que curar.	An ounce of prevention is worth a pound of cure. (*Lit.: It's better to prevent than to cure.*)
Contigo, pan y cebolla.	I'll live on bread and onions as long as you're at my side. (*Lit.: With you, bread and onions.*)
A buena hambre, no hay pan duro.	If you're hungry enough, you'll eat anything. (*Lit.: To a hungry person, there's no such thing as stale bread.*)
A barriga llena, corazón contento.	Full stomach, happy heart.

Lección 7

No cantes victoria antes de tiempo.	Don't count your chickens before they are hatched. (*Lit.: Don't cry victory too soon.*)
El que mucho abarca, poco aprieta.	Don't bite off more than you can chew. (*Lit.: He who undertakes too much ends up accomplishing little.*)
Querer es poder.	Where's there's a will, there's a way. (*Lit.: To want is to be able.*)

Lección 8

Errar es humano; perdonar es divino.	To err is human; to forgive, divine.
No hay mal que dure cien años.	This, too, shall pass. (*Lit.: No evil lasts one hundred years.*)
Martes trece, ni te cases ni te embarques.	On Tuesday the thirteenth, don't get married and don't go on a trip.

Lección 9

Adonde fueras, haz lo que vieras.	When in Rome, do as the Romans do. (*Lit.: Wherever you go, do what you see.*)
No van lejos los de adelante si los de atrás corren bien.	The front runners don't get too far ahead if those behind them run hard.
Más vale tarde que nunca.	Better late than never.

Lección 10

Perro que ladra no muerde.	His bark is worse than his bite. (*Lit.: A barking dog doesn't bite.*)
El que la hace la paga.	You've made your bed, now lie in it. (*Lit.: He who does it must pay for it.*)
Quien mal anda mal acaba.	Those who fall into bad ways will come to a bad end.

Lección 11

Hazte de fama y échate a dormir.	Make a name for yourself and rest on your laurels.
El que ríe último, ríe mejor.	He who laughs last, laughs best.
A mal tiempo, buena cara.	Grin and bear it.

VOCABULARIO

This vocabulary provides contextual meanings of the active vocabulary from the **Vocabulario clave** and **Para hablar de...** sections in each lesson, as well as passive vocabulary that is glossed in the activities. The following abbreviations are used:

adj., adjective   *pl.,* plural

f., feminine   *sing.,* singular

m., masculine

A

a bordo   aboard
a cambio de   in exchange for
a cargo de   in charge of
a causa de   because of, on account of
a la intemperie   outdoors
a lo largo de   throughout
a mano   by hand
a plazos   in installments
a todo color   in full color
a un paso de   one step away (from)
abarcar   to undertake; to cover
abrazar   to embrace
aburrido(a)   boring
aburrir   to bore
acabar de (+ *inf.*)   to have just (*done something*)
acampar   to camp
aceite (*m.*)   oil
achicar   to make smaller
aclarar   to clarify
acortar   to shorten
actuación (*f.*)   acting
actual   current (*adj.*)
actuar   to act
acuarela (*f.*)   watercolor
acumulador (*m.*)   battery
    tener el—muerto   to have a dead battery
adelantado(a)   progressive
adelgazar   to lose weight
además   furthermore
adivinar   to guess

afición (*f.*)   hobby, interest
aficionado(a) (*m., f.*)   fan
agarrar   to catch
agente de seguros (*m., f.*)   insurance agent
agobiar   to overwhelm
agotado(a)   exhausted
agradable   pleasant
agregar   to add
agrícola   agricultural
aguacero (*m.*)   shower; downpour
agudo(a)   keen; sharp
ahorrar   to save
aire acondicionado (*m.*)   air conditioning
ajustado(a)   tight
al aire libre   outdoors
al cabo de   after
al contado   in cash (total payment)
al revés   backwards
alargar   to lengthen
alcalde(sa) (*m., f.*)   mayor
alcoholismo (*m.*)   alcoholism
alimento (*m.*)   food, nourishment
almacén (*m.*)   department store (*Spain*)
alpinismo (*m.*)   mountain climbing
altanero(a)   proud
amable   polite, courteous
amistad (*f.*)   friendship
analfabetismo (*m.*)   illiteracy
anillo (*m.*)   ring
    —de compromiso   engagement ring

anotación (*f.*)   score
anotar   to write down; to score
antiguo(a)   old
anuncio comercial (*m.*)   commercial
añadir   to add
apagar   to turn off
aparador (*m.*)   buffet, hutch
aparcamiento (*m.*)   parking
apartado postal (de correos) (*m.*)   post office box
apasionado(a)   passionate
aplaudir   to applaud
apoyar   to support
apretado(a)   tight
apretar (e→ie)   to be too tight
aprobación (*f.*)   approval
aprobado   grade of D
aprobar (o→ue)   to approve; to pass (a course)
aprovechar   to take advantage of
apuntes (*m. pl.*)   (class) notes
apurarse   to hurry (up)
área de servicios (*f.*)   service area
arena (*f.*)   sand
aretes (*m. pl.*)   earrings
árido(a)   arid
armar una tienda de campaña   to pitch a tent
arquero(a) (*m., f.*)   goalkeeper
arreglo (*m.*)   arrangement
arrullar   to lull
asaltar   to assault, to attack
asar   to broil; to roast

asegurar to assure
asistencia (*f.*) attendance
asombrado(a) astonished
asombroso(a) amazing, astonishing
astro (*m.*) star
atender (e→ie) to serve, to wait on
atento(a) attentive
atletismo (*m.*) track and field
atrasado(a) backward, delayed
atraso (*m.*) delay
  tener... horas de— to be . . . hours behind schedule
atravesar (e→ie) to go through
autopista (*f.*) expressway, freeway
averiguar to guess; to find out
ayuntamiento (*m.*) city hall

B
bachillerato (*m.*) high-school diploma
bailar to dance
bailarín(ina) (*m., f.*) dancer
bajo(a) low
balanza (*f.*) scale
balazo (*m.*) shot
banda sonora (*f.*) sound track
bandeja (*f.*) tray
bandera (*f.*) flag
bañadera (*f.*) bathtub
bañarse to swim; to bathe
barca (*f.*) boat
barco (*m.*) ship
barredora (*f.*) street cleaner
barriga (*f.*) belly
basura (*f.*) garbage
basurero (*m.*) garbage collector
bateador(a) (*m., f.*) batter (*baseball*)
batería de cocina (*f.*) kitchen utensils
beca (*f.*) scholarship
belleza (*f.*) beauty
bendito(a) blessed
bibliotecario(a) (*m., f.*) librarian
bicicleta estacionaria (*f.*) stationary bicycle
bien grade of C
bien parecido(a) good-looking
bienes raíces (*m. pl.*) real estate

boliche (*m.*) bowling
bolos (*m. pl.*) bowling
bolsa: —de aire (*f.*) air bag
  —de dormir (*f.*) sleeping bag
bombero (*m.*) fire fighter
bondadoso(a) kind
bordado(a) embroidered
bosque (*m.*) forest
botar to throw away
bote (*m.*) boat
brazalete (*m.*) bracelet
bronce (*m.*) bronze
bruja (*f.*) witch
buque transatlántico (*m.*) ocean liner
butaca (*f.*) armchair; bucket seat

C
caballero (*m.*) gentleman
cabaña (*f.*) cabin
cacerola (*f.*) pan
cadena (*f.*) chain
  —perpetua life sentence
  reacción en— (*f.*) chain reaction
caja (*f.*) box; cash register; transmission
  —de seguridad safe-deposit box
cajero(a) (*m., f.*) check-out person; bank teller
caldo (*m.*) broth
calefacción (*f.*) heating, heating system
calefactor (*m.*) heater
calidad: de alta— high-quality
cálido(a) hot
calistenia (*f.*) calisthenics
caluroso(a) hot
camión (*m.*) truck
  —de bomberos fire truck
  de mudanzas moving van
camioneta (*f.*) van; pickup truck
camisón (*m.*) nightgown
campaña publicitaria (*f.*) ad campaign
campesino(a) (*m., f.*) country person; farm worker; peasant
campo (*m.*) field; countryside
  —de golf golf course
canal (*m.*) channel
canasta (*f.*) basket, field goal
candidato(a) (*m., f.*) candidate (*for a job*)

canilla (*f.*) faucet, tap
canoa (*f.*) canoe
cantar to sing
  —a dúo to sing a duet
cantidad (*f.*) amount
caña de pescar (*f.*) fishing rod
capaz capable
capó (*m.*) hood (*of a car*)
carácter (*m.*) personality
cariñoso(a) loving
carnaval (*m.*) carnival, Mardi Gras
carnet (*m.*) identification card
carrera (*f.*) run (*baseball*); race; career
carretera (*f.*) highway
carril (*m.*) lane
  —de salida exit ramp
cartera (*f.*) wallet
carterista (*m., f.*) pickpocket
casa de campaña (*f.*) tent
casarse to get married
castigo (*m.*) punishment
casualidad (*f.*) coincidence
cataratas (*f. pl.*) falls
caza (*f.*) hunting
cazar to hunt
cazuela (*f.*) pot
celoso(a) jealous
centro (*m.*) center; downtown
  —cívico civic center
  —infantil early childhood center, day care center
chapa (*f.*) license plate
charada (*f.*) charade
chiquitico(a) very tiny
chiquitito(a) very tiny
chismoso(a) gossipy
chocar to have a collision, to crash
ciencia-ficción (*f.*) science fiction
científico(a) (*m., f.*) scientist
cifra (*f.*) digit
cinta (*f.*) ribbon
cita (*f.*) date
  —a ciegas blind date
ciudadanía (*f.*) citizenship
clave (*f.*) key
cobrar to charge
cocer (o→ue) to cook (**yo cuezo**)
coche patrullero (*m.*) police car
cocinar to cook
  —al horno to bake

—**al vapor**   to steam
cocinero(a) (*m., f.*)   cook
coco (*m.*)   boogeyman
cola (*f.*)   line
   hacer—   to stand in line
colador (*m.*)   strainer
colchón (*m.*)   mattress
coleccionar   to collect
colectivo (*m.*)   bus (*Argentina*)
colina (*f.*)   hill
collar (*m.*)   necklace
colocar   to place
combustible (*m.*)   fuel
comedia (*f.*)   comedy
comida (*f.*)   food; meal
comodidad (*f.*)   comfort
compartir   to share
complaciente   pleasing, accommo-
   dating
componer (*conj. like* **poner**)   to
   compose
comportamiento (*m.*)   behavior
comprensivo(a)   understanding
comprometer   to compromise,
   to get
comprometerse (a)   to agree (*to
   something*), to commit oneself
con lujo de detalles   in great detail
con razón   no wonder
concurso (*m.*)   game show; contest
conejito de la Pascua Florida (*m.*)
   Easter Bunny
confianza (*f.*)   trust
conjunto musical (*m.*)   musical
   group
conocimiento (*m.*)   knowledge
   **tener conocimientos de com-
   putadoras**   to be computer
   literate
consejero(a) (*m., f.*)   adviser,
   counselor
consejo municipal (*m.*)   city council
conservador(a)   conservative
consomé (*m.*)   broth
constante   persevering
consultarlo con la almohada
   to sleep on it
contabilidad (*f.*)   accounting
   llevar la—   to keep the books
contaminación (*f.*)   pollution
contrabajo (*m.*)   bass

convencer   to convince (**yo con-
   venzo**)
convenir (*conj. like* **venir**)   to be
   convenient; to suit
convincente   convincing
copiar   to copy
coro (*m.*)   choir
cortés   polite
cosechar   to harvest
costa (*f.*)   coast
crear   to create
credencial (*f.*)   identification card
   (*México*)
crema de leche agria (*f.*)   sour cream
criarse   to be raised, brought up
crimen (*m.*)   criminal act
crítico(a) (*m., f.*)   critic
crucero (*m.*)   cruise
crudo(a)   raw, uncooked
cuadrado(a)   square
cuadrangular (*m.*)   home run
cuadro (*m.*)   painting; square
   a cuadros   checked
cualquier   any
cuanto: en—a   in regard to
cubo de basura (*m.*)   garbage can
cucharada (*f.*)   tablespoon
cucharadita (*f.*)   teaspoon
cuento (*m.*)   short story
cuero (*m.*)   leather
cuerpo (*m.*)   body
cuidado de niños (*m.*)   child care
cuidadosamente   carefully
cuidadoso(a)   careful
culpa (*f.*)   blame
culpable (*m., f.*)   guilty person,
   culprit
cumplir   to keep (*e.g., a promise*); to
   carry out
cuota inicial (*f.*)   down payment
cursiva (*f.*)   italic

D
dama (*f.*)   lady
danza aeróbica (*f.*)   aerobic dancing
dar marcha atrás   to back up
dar(se) de baja   to drop (oneself)
   (*from a class*)
darse por vencido(a)   to give up
de antemano   beforehand, ahead of
   time

de buen (mal) gusto   in good
   (bad) taste
decano(a) (*m., f.*)   dean
defecto (*m.*)   shortcoming
dejar   to leave
   —**algo (mucho) que desear**   to
   leave something (a great deal) to
   be desired
   —**de** (+ *inf.*)   to stop (*doing
   something*)
   —**en ayunas a alguien**   to leave
   someone baffled
delantero(a) (*m., f.*)   forward
   (*sports*); (*adj.*) front
delincuencia (*f.*)   crime
delito (*m.*)   criminal act
demanda (*f.*)   lawsuit
denuncia (*f.*)   report (*of a crime*)
dependiente(a) (*m., f.*)   clerk,
   salesperson
deporte (*m.*)   sport
desarrollado(a)   developed
descansar   to rest
desconocido(a)   unknown
descuento (*m.*)   discount
desde   since
desecho (*m.*)   waste
desempeñar   to perform, to carry out
desengaño (*m.*)   disappointment
desenlace (*m.*)   ending, outcome
desfile (*m.*)   parade
desgracia: para—mía   unfortunately for me
deslizador (*m.*)   hang glider
deslumbrante   dazzling
despedir (e→i)   to fire
destacar   to point out; to stand out
destino (*m.*)   destination
detalle (*m.*)   detail
determinado(a)   specific
deuda (*f.*)   debt
devolución (*f.*)   return
Día de Acción de Gracias (*m.*)
   Thanksgiving Day
diario(a)   daily
dibujos animados (*m. pl.*)
   animated cartoons
diente de ajo (*m.*)   clove of garlic
digno(a) de confianza   trustworthy
diligencia (*f.*)   errand
   hacer diligencias   to run errands

director(a): —de admisiones (*m., f.*) director of admissions
—de ayuda financiera (*m., f.*) financial aid director
dirigir to direct
discreto(a) discreet
diseñador(a) (*m., f.*) designer
diseñar to design
disfrazarse to disguise oneself, to wear a costume
disfrutar (de) to enjoy
disminuir to decrease
disparar to shoot
distinguido(a) distinguished
distribución de papeles (*f.*) casting
diversión (*f.*) entertainment
divertido(a) fun, entertaining
doctorado (*m.*) doctoral degree, Ph.D.
documental (*m.*) documentary
dominante domineering
dorar to brown
dramaturgo(a) (*m., f.*) playwright
drogadicto(a) (*m., f.*) drug addict
ducha (*f.*) shower
duda (*f.*) doubt
no cabe— there's no doubt
dueño(a) (*m., f.*) master, mistress; owner
dulce (*m.*) candy
duro(a) hard; harsh

E
echar to throw away
efectos especiales (*m. pl.*) special effects
egoísta selfish
embotellamiento de tráfico (*m.*) traffic jam
empatado(a) tied
empate (*m.*) tie (score)
empleo (*m.*) employment, job
empresario(a) (*m., f.*) entrepreneur
en marcha moving, in motion
en voz alta out loud
encaje (*m.*) lace
encargarse de to be in charge of; to take responsibility (for)
encendido (*m.*) ignition
enchapado(a) en oro (en plata) gold- (silver-) plated

encoger to shrink
encuesta (*f.*) survey
enfadarse to become angry
enganche (*m.*) down payment
engañar to deceive
ensayo (*m.*) essay; rehearsal
entrada (*f.*) down payment
entrante (*m.*) entrée
entregar to turn in, to hand in
entrenador(a) (*m., f.*) trainer, coach
entrenamiento (*m.*) training
entretenerse (*conj. like* **tener**) to entertain oneself
entrevista (*f.*) interview
envase (*m.*) container
envolver (o→ue) to wrap
equipaje (*m.*) luggage
tener exceso de— to have excess baggage
equipo (*m.*) equipment
escalera (*f.*) ladder
escoba (*f.*) broom
escoger to choose
esconder(se) to hide (oneself)
escritor(a) (*m., f.*) writer
escuchar to listen (to)
esforzarse (o→ue) to work hard
especialización (*f.*) major (*field of study*)
especializarse (en) to major (in)
especie: una—de a kind of
espectáculo (*m.*) show
espejo (*m.*) mirror
esquiar a campo traviesa (*m.*) cross-country skiing
estacionar to park
tener dificultad en encontrar un lugar para— to have a hard time finding a parking spot
estadio (*m.*) stadium
estado (*m.*) state
—civil marital status
—de funcionamiento working condition
estampado(a) print
estar a dieta to be on a diet
estar enamorado(a) de to be in love with
estrella (*f.*) star
estrenar to show for the first time
estrés (*m.*) stress

estudiantil (*adj.*) student
estufa de campamento (*f.*) camp stove
estupendo(a) great
exceso de equipaje (*m.*) excess baggage
exhausto(a) exhausted
exhibir to exhibit
éxito (*m.*) success
experiencia (*f.*) employment history
exposición (*f.*) exhibit
extrañar to miss (*someone or something*)
no me extrañaría it wouldn't surprise me

F
fábrica (*f.*) factory
falta: hacer— to be necessary
faltar to be absent, to miss (*e.g., a class*)
fantasma (*m.*) ghost
fe (*f.*) faith
felicitaciones (*f. pl.*) congratulations
fértil fertile
fiel faithful
figura (*f.*) figure
fila (*f.*) line
filmar to film
financiar to finance
financiero(a) financial
físico (*m.*) physique
flaco(a) weak
flor (*f.*) flower
floreado(a) flowered
forzar (o→ue) to break into, to force
fotocopiar to make a photocopy
fracasar to fail
frase publicitaria (*f.*) slogan
frazada (*f.*) blanket
freír (*conj. like* **reír**) to fry
frontera (*f.*) border
frontón con raqueta (*m.*) racquetball
fuego (*m.*) fire
fuerte strong
fuerza: por la— forcibly
—de voluntad (*f.*) willpower
función (*f.*) show
fundador(a) (*m., f.*) founder

G

gabinete (*m.*)   cabinet
galante   gallant
galerías (*f. pl.*)   shopping mall
ganador(a)   winner
ganar   to gain; to win
garantía (*f.*)   guarantee
gastar   to spend
gasto (*m.*)   expense
gema (*f.*)   gem
gemelos(as) (*m., f., pl.*)   twins
gimnasia (*f.*)   gymnastics
gira (*f.*)   tour
giro postal (*m.*)   money order
globo (*m.*)   hot-air balloon
gobierno (*m.*)   government
golfo (*m.*)   gulf
golpear   to hit, to beat
goma (*f.*)   tire
  **tener una—pinchada (pon-
    chada)**   to have a flat tire
graduarse   to graduate
granizo (*m.*)   hail
grasa (*f.*)   fat
grave   serious
grifo (*m.*)   faucet, tap
grúa (*f.*)   tow truck
gruñón(ona)   grumpy
guerra (*f.*)   war
guerrero(a)   warlike
gusto (*m.*)   taste
  a—   to taste

H

habilidad (*f.*)   skill
habla: de—hispana   Spanish-
  speaking
hablar hasta por los codos   to be a
  real chatterbox
hacer caso   to listen, to pay attention
hacer ejercicio   to exercise
hada madrina (*f.*)   fairy godmother
hambriento(a)   starving
haragán(ana)   lazy
hastío (*m.*)   tedium
hecho (*m.*)   happening, event
helicóptero (*m.*)   helicopter
herido(a)   wounded
hermoso(a)   beautiful
hermosura (*f.*)   beauty
herramienta (*f.*)   tool

hervir (e→ie)   to boil
hipócrita   hypocritical
hogar (*m.*)   home
honrar   to honor
horario (*m.*)   schedule
hornear   to bake
hospedarse   to lodge
húmedo(a)   humid
humilde   humble
humor: de—cambiante   subject to
  mood changes
huracán (*m.*)   hurricane

I

imprimir   to print
inauguración (*f.*)   grand opening
incorporar   to add
increíble   incredible
inesperado(a)   unexpected
infiel   unfaithful
infierno (*m.*)   inferno, hell
influir   to influence
iniciar   to initiate
inquieto(a)   restless
inscribirse   to register (*e.g., at a
  university*)
inscripción (*f.*)   registration; tuition
instructor(a) (*m., f.*)   instructor,
  teaching assistant
intercambiar   exchange
invernadero (*m.*)   greenhouse
investigación (*f.*)   research
investigar   to research
invicto(a)   undefeated
irle bien (mal) a uno   to do well
  (badly)

J

jonrón (*m.*)   home run
joyas (*f. pl.*)   jewelry
  —de fantasía   costume jewelry
jubilarse   to retire
judío(a) (*m., f.*)   Jew
juez (*m., f.*)   judge
junta (*f.*)   meeting
juventud (*f.*)   youth

L

ladrón(ona) (*m., f.*)   thief, burglar,
  robber
lancha de motor (*f.*)   motorboat

lanzador(a) (*m., f.*)   pitcher
latido del corazón (*m.*)   heartbeat
latir   to beat, to palpitate
lavandería (*f.*)   laundry; laundromat
lavar   to wash
  —a máquina   to machine wash
lazo (*m.*)   ribbon
leche descremada (*f.*)   low-fat or
  skim milk
lesión (*f.*)   injury
letra (*f.*)   lyrics (*to a song*)
letrero (*m.*)   sign
levantar   to lift
  —la voz   to raise one's voice
  —pesas   to lift weights
libertad condicional (*f.*)   parole
libra (*f.*)   pound
libreto (*m.*)   script, screenplay
licorería (*f.*)   liquor store
lienzo (*m.*)   canvas
liga (*f.*)   league
limitar con   to border
limpiar (lavar) en seco   to dry-clean
limpio(a)   clean
linterna (*f.*)   lantern, lamp
llama (*f.*)   flame
llamar la atención   to interest
llano(a)   flat
llanto (*m.*)   weeping
llave del agua (*f.*)   faucet, tap
llegar   to arrive
  —a ser   to become
  —a viejo   to reach old age
llenar   to fill out
llevar a cabo   to carry out
llevarse bien   to get along
lluvioso(a)   rainy
loco(a)   crazy, insane
locutor(a) (*m., f.*)   announcer,
  broadcaster
lograr   to achieve
lucero (*m.*)   bright star
lucha libre (*f.*)   wrestling
lugar (*m.*)   place
  —de nacimiento   place of birth
lujo (*m.*)   luxury
  con—de detalles   in great detail
  de—   deluxe
luna (*f.*)   moon
  —de miel   honeymoon
lunares (*m. pl.*)   polka dots

M

madera (*f.*)   wood
maestría (*f.*)   master's degree
mal: de—en peor   from bad to worse
   —de ojo (*m.*)   evil eye
   —parecido(a)   ugly
maldición (*f.*)   curse
maleducado(a)   rude
maleta (*f.*)   suitcase
malherido(a)   badly wounded
manantial (*f.*)   spring, fountain
manco(a) (*m., f.*)   one-handed person
mandar   to give orders, to order
mandato (*m.*)   order
mandón(ona)   bossy
manejar   to drive
manta (*f.*)   blanket
mantel (*m.*)   tablecloth
mantener (*conj. like* **tener**) **un buen promedio**   to maintain a good GPA
máquina: —de escribir (*f.*) typewriter
   escribir a—   to type
marca (*f.*)   brand
   —registrada   trademark
marcar   to score
marchar sobre ruedas   to go smoothly
marco (*m.*)   frame
mareo: tener—   to be seasick or airsick
mármol (*m.*)   marble
más bien   rather
matar   to kill
mate (*m.*)   a type of herb tea
matrícula (*f.*)   registration; tuition
matricularse   to register (*at a university*)
mayor: al por—   wholesale
mecanógrafo(a) (*m., f.*)   typist
medida (*f.*)   measure
medios de comunicación (*m. pl.*) communications media
mejorar   to improve
mellizos(as) (*m., f., pl.*)   twins
menor: al por—   retail
   —de edad (*m., f.*)   minor
mente (*f.*)   mind

mentiroso(a)   deceitful, lying
menudo: a—   often, frequently
mercancía (*f.*)   merchandise
meta (*f.*)   goal
miel (*f.*)   honey
milla (*f.*)   mile
misterio (*m.*)   mystery
mochila (*f.*)   backpack
moda (*f.*)   fashion, style
   la última—   the latest fashion
moderno(a)   modern
modestia aparte   modesty aside
molde (*m.*)   baking pan
moneda (*f.*)   currency; coin
monstruo (*m.*)   monster
montañoso(a)   mountainous
montar   to ride
motín (*m.*)   riot
mudarse   to move (*e.g., to a new house*)
muerte (*f.*)   death

N

nacer   to be born (**yo nazco**)
nacimiento (*m.*)   birth
nadar   to swim
natación (*f.*)   swimming
naturaleza muerta (*f.*)   still life
nave espacial (*f.*)   spaceship
necio(a) (*m., f.*)   fool
ni siquiera   not even
niñera (*f.*)   nanny
niñez (*f.*)   childhood
nivel de vida (*m.*)   standard of living
nota (*f.*)   grade
   —de suspenso   failing grade
notable   grade of B
noticia (*f.*)   news, information
nutritivo(a)   nourishing

O

obra maestra (*f.*)   masterpiece
oeste: del—   western
oficio (*m.*)   trade
óleo (*m.*)   oil paint
olla (*f.*)   pot
onda corta (*f.*)   short wave
onza (*f.*)   ounce
ópera (*f.*)   opera

ordenado(a)   orderly
orilla: a orillas de   on the shores of
orquesta sinfónica (*f.*)   symphony orchestra
osado(a)   daring
otorgar   to award
ovalado(a)   oval

P

paciente   patient
padecer (de)   to suffer (from) (**yo padezco**)
pago (*m.*)   payment
paisaje (*m.*)   landscape
paleta (*f.*)   palette
pandilla (*f.*)   gang
panel de instrumentos (*m.*) control panel
pantalla (*f.*)   screen
pantano (*m.*)   marsh, bog
Papá Noel (*m.*)   Father Christmas
papel (*m.*)   role
parabrisas (*m.*)   windshield
parada (*f.*)   stop
pareja (*f.*)   mate; couple; pair
pariente (*m., f.*)   relative
parquímetro (*m.*)   parking meter
pasado por agua   soft-boiled
pasaporte (*m.*)   passport
pasar   to pass
   —hambre   to go hungry
pasatiempo (*m.*)   hobby, pastime
pasear en bote   to go boating
paso (*m.*)   footstep, step; pass
   a un—   one step away
   —de peatones   pedestrian crossing, crosswalk
   —superior   overpass
pata de conejo (*f.*)   rabbit's foot
patinaje (*m.*)   skating
patinar   to skate
patria (*f.*)   country, homeland
patrocinar   to sponsor; to patronize
paz (*f.*)   peace
peaje (*m.*)   toll
peatón (*m.*)   pedestrian
pechuga (*f.*)   breast (*chicken, turkey, etc.*)
pegarle a la pelota   to hit the ball
pelar   to peel
película de suspenso (*f.*)   thriller

peligroso(a) dangerous
peluquero(a) (*m., f.*) hairdresser
pena capital (de muerte) (*f.*)
  capital punishment
pendientes (*m. pl.*) earrings
península (*f.*) peninsula
pensador(a) (*m., f.*) thinker
pensión (*f.*) boarding house
peor: de mal en— from bad to
  worse
perdedor(a) (*m., f.*) loser
perder (e→ie) el avión (tren,
  autobús) to miss the plane
  (train, bus)
perderse (e→ie) to miss out (on)
pérdida (*f.*) loss
perdonar to forgive
perezoso(a) (*m., f.*) lazy person;
  (*adj.*) lazy
perjudicar to endanger
perjudicial damaging, bad, harmful
permanecer to remain (**yo**
  permanezco)
pertenecer to belong (**yo**
  pertenezco)
pesar to weigh
pesca (*f.*) fishing
peso (*m.*) weight
petición (*f.*) petition
picadura (*f.*) bite, sting
picnic (*m.*) picnic
piedra (preciosa) (*f.*) gem
pimentón (*m.*) paprika
pimiento dulce (*m.*) bell pepper
pincel (*m.*) brush
pintoresco(a) picturesque
pintura (*f.*) paint
pista (*f.*) track, court, rink
  —de carreras race track
pizca (*f.*) dash
planeamiento (*m.*) planning
planta baja (*f.*) ground floor
plató (*m.*) set
plazo (*m.*) term, installment
  a plazos in installments
pobre poor
poderoso(a) powerful
polaco(a) Polish
policía (*f.*) police
policíaco(a) related to crime or
  law enforcement

poner a prueba to test
ponerse en forma to get into
  shape
por: —completo completely
  —escrito in writing
  —lo menos at least
  —supuesto of course
practicar: —deportes to play
  sports
  —la natación to swim
precio (*m.*) price
  precios más bajos (*m. pl.*)
    rock-bottom prices
precioso(a) beautiful
premio (*m.*) prize
presentación (*f.*) performance
presentador(a) (*m., f.*) host (*of a*
  program)
preso(a) (*m., f.*) prisoner, inmate
préstamo (*m.*) loan
prestar atención to pay attention
presupuesto (*m.*) budget
principios: a—de at the beginning
  of
procedimiento (*m.*) procedure
producir to produce (**yo**
  produzco)
productor(a) (*m., f.*) producer
profesorado (*m.*) faculty
programa (*m.*) program
  —de entrevistas talk show
  —de variedades variety show
  —piloto pilot (*television*)
programación (*f.*) programming
prometer to promise
promocionar to promote
pronóstico (*m.*) forecast
pronto soon
propaganda (*f.*) advertising, publicity
  hacer— to advertise
propagar to spread (*news*), to
  propagate
propenso(a) a prone to
propio(a) characteristic
prosa (*f.*) prose
prostitución (*f.*) prostitution
proveer to provide
proyectar to project
prueba del alcohol (*f.*) sobriety
  test

publicidad (*f.*) advertising,
  publicity
pueblo (*m.*) town
puerto (*m.*) port
pulmón (*m.*) lung
pulsera (*f.*) bracelet
punto (*m.*) point
puntual punctual

Q
quedarse sordo(a) to become deaf
queja (*f.*) lament
quejarse to complain
quilate (*m.*) carat

R
raíz (*f.*) root
rasgo (*m.*) characteristic
ratón (*m.*) mouse
raya (*f.*) stripe
  a rayas striped
rebaja (*f.*) sale, markdown
rebanada (*f.*) slice
receta (*f.*) recipe
recién casados (*m. pl.*) newlyweds
reciclar to recycle
recio(a) strong
reclutar to recruit
recoger to collect, to gather
recordar (o→ue) to remember; to
  remind
recorrer to cover (*distance*)
  through travel
rector(a) (*m., f.*) university
  president
recuerdo (*m.*) memory
redondo(a) round
reembolsar to refund
reembolso (*m.*) refund
reestreno (*m.*) rerun
refutar to refute
regente(a) (*m., f.*) ruler
región (*f.*) sales territory
regir (e→i) to rule
regla (*f.*) rule
rehabilitación (*f.*) rehabilitation
rehén (*m., f.*) hostage
remar to row
remolcador (*m.*) tow truck
reparto de papeles (*m.*) casting
repasar to review

respuesta (*f.*)   answer
restringido(a)   restricted
resultarle difícil a uno   to find (*something*) difficult
resumé (*m.*)   résumé
retirarse   to retire
retraso (*m.*)   delay
   tener... horas de—   to be . . . hours behind schedule
retrato (*m.*)   portrait
reunión (*f.*)   meeting
reunirse   to get together, to meet
rezar   to pray
rico(a)   rich; tasty
riesgo (*m.*)   risk
rimar   to rhyme
robar   to steal, to rob
robo a mano armada (*m.*)   armed robbery
rodar (o→ue)   to film
ropa (*f.*)   clothing
roto(a)   broken

S
sabana (*f.*)   savanna
saber (a)   to taste (*like something*)
sabio(a) (*m., f.*)   wise man (woman); (*adj.*) wise
sabroso(a)   tasty
sacar   to get (*a grade*)
saco de dormir (*m.*)   sleeping bag
salirse con la suya   to get one's way
salud (*f.*)   health
Santa Claus (Clos) (*m.*)   Santa Claus
sartén (*f.*)   frying pan
sazonar   to season
seco(a)   dry
secretario(a) general (de la universidad) (*m., f.*)   registrar
secuestrar   to kidnap
seleccionar   to select, to choose
selva (*f.*)   jungle, rain forest
semejanza (*f.*)   similarity
sensibilidad (*f.*)   sensitivity
sensible   sensitive
sentido del humor (*m.*)   sense of humor
sentirse (e→ie)   to feel (*physically or emotionally*)

señal (*f.*)   signal
señalar   to indicate
señor (*m.*)   gentleman
señora (*f.*)   lady
ser (*m.*)   being
serie (*f.*)   series
servicio (*m.*)   service
servir (e→i)   to serve
sindicato (*m.*)   labor union
sobresaliente   grade of A
socio(a) (*m., f.*)   member; partner
sofreír (*conj. like* **reír**)   to fry lightly
soldado(a) (*m.*)   soldier
soledad (*f.*)   solitude
solicitar   to apply
solicitud (*f.*)   application
sonrisa (*f.*)   smile
soñar (o→ue) (con)   to dream (*of something*)
soportar   to put up with, to stand
sordo(a)   deaf
sortija (*f.*)   ring
sospechoso(a) (*m., f.*)   suspect; (*adj.*) suspicious
subdesarrollado(a)   underdeveloped
suceder   to happen
sucio(a)   dirty
sueño (*m.*)   dream
suerte (*m.*)   luck
sugerencia (*f.*)   suggestion
superpoblación (*f.*)   overcrowding
suspenso   grade of F

T
tablero (*m.*)   control panel
tallado(a)   carved
tanto (*m.*)   point
tapiz (*m.*)   tapestry
tarea (*f.*)   homework
tarjeta (*f.*)   card
   —de crédito   credit card
taza (*f.*)   cup
   media—   half a cup
   tres cuartos de—   three-fourths of a cup
   un cuarto de—   one-fourth of a cup
teclado (*m.*)   keyboard
tela (*f.*)   canvas; fabric
telediario (*m.*)   television news program

telenovela (*f.*)   soap opera
televidente (*m., f.*)   television viewer
tema (*m.*)   topic, theme
templado(a)   temperate
tener afinidad   to have things in common
tener chispa   to be witty
tener en cuenta   to keep in mind
tener la culpa   to be at fault
tenis de mesa (*m.*)   ping-pong
tensión nerviosa (*f.*)   stress
terapista (*m., f.*)   therapist
testigo(a) (*m., f.*)   witness
tiburón (*m.*)   shark
tienda: —de campaña (*f.*)   tent
   —por departamentos (*f.*)   department store
tierno(a)   tender
tierra (*f.*)   earth
tintorería (*f.*)   dry cleaners
tirar   to throw; to shoot; to throw away
tirita (*f.*)   strip
tiro con arco (*m.*)   archery
tiroteo (*m.*)   shooting
título universitario (*m.*)   college degree
tobillo (*m.*)   ankle
tocador (*m.*)   dresser
toda clase de   all sorts of
torcer (o→ue)   to twist (**yo tuerzo**)
tormenta (*f.*)   storm
   —de nieve   snowstorm
tornado (*m.*)   tornado
trabajador(a)   hardworking
trama (*f.*)   plot
transeúnte (*m., f.*)   passerby
transmitir   to broadcast
tranvía (*m.*)   trolley, streetcar
trasero(a)   back
tratamiento psicológico (*m.*)   counseling, therapy
tratar   to treat
   —de (+ inf.)   to try (*to do something*)
trigo (*m.*)   wheat
turnarse   to take turns

U
último(a)   latest
unidad (*f.*)   academic credit

unir(se)   to unite, to join
universitario(a) (*m., f.*)   university student; (*adj.*) related to the university

V

vacío(a)   empty
vacuna (*f.*)   vaccine
vajilla de plata (*f.*)   silverware
valentía (*f.*)   courage
valioso(a)   valuable
vals (*m.*)   waltz
vanidoso(a)   vain
vaqueros (*m. pl.*)   jeans
vehículo de auxilio (*m.*)   emergency assistance vehicle

velocidad (*f.*)   speed
  ¿A qué—?   How fast?
  límite de— (*m.*)   speed limit
vena (*f.*)   vein
vencer   to defeat (**yo venzo**)
vendedor(a) (*m., f.*)   salesperson
venta (*f.*)   sale, markdown
  a la—   on sale, available for purchase
ventaja (*f.*)   advantage; lead
verse involucrado(a) en   to find oneself involved in
verso (*m.*)   verse
viajar   to travel
videograbadora (*f.*)   videocassette recorder

villancico (*m.*)   Christmas carol
vinilo (*m.*)   vinyl
violar   to rape; to violate
virtud (*f.*)   virtue
visado (*m.*)   visa
vivo(a)   alive
vocacional   vocational
volante (*m.*)   flyer; steering wheel

Y

yoga (*m.*)   yoga

Z

zona (*f.*)   sales territory
  —de estacionamiento   parking lot

ACKNOWLEDGEMENTS

Text credits

p. 80: recipe for "Pollo al pimentón," *Vanidades,* Año 34, #5, p. 68; p. 105-106: Horoscope from *Vanidades;* p. 132: Excerpt from, "Biosfera número 2" from *Vanidades,* Año 34, #12 (June 7, 1994); p. 148: Excerpted from "Rosie Perez, una latina tras el Óscar," from *Vanidades,* Año 34, #3 (February 1, 1994).

Photo Credits

p. 1: Ulrike Welsch; p. 13: Ulrike Welsch; p. 14 (top): Pederick / The Image Works; p. 14 (middle): Peter Menzel / Stock Boston; p. 14 (bottom): Barbara Alper / Stock Boston; p. 15 (top): Frerck / Odyssey / Chicago; p. 15 (middle): Owen Franken / Stock Boston; p. 15 (bottom): Frerck / Odyssey / Chicago; p. 24: Jeffry W. Meyers / Stock Boston; p. 29: Peter Menzel / Stock Boston; p. 43: Ulrike Welsch; p.44 (top): Ulrike Welsch; p.44 (bottom): Robert Fried; p. 45: Peter Menzel / Stock Boston; p. 46 (top): Corbis-Bettmann; p. 46 (middle): Victor de Palma / Black Star; p. 46 (bottom): Corbis-Bettmann; p. 47 (top): AP / Wide World; p. 47 (middle): Corbis-Bettmann; p. 47 (bottom): The Granger Collection; p. 59: L.H. Mangino / The Image Works; p. 67: Peter Menzel / Stock Boston; p. 73: Elizabeth Crews / The Image Works; p. 87: Michael Dwyer / Stock Boston; p. 100: Odyssey / Frerck / Chicago; p. 114: Odyssey / Frerck / Chicago; p. 115 (top): Owen Franken / Stock Boston; p. 115 (bottom): Peter Menzel / Stock Boston; p. 116: Peter Menzel / Stock Boston; p. 129: Owen Franken / Stock Boston; p. 146: King / Liaison; p. 155: Owen Franken / Stock Boston; p. 162: Beryl Goldberg; p. 163 (top left): Daemmrich / The Image Works; p. 163 (top right): Peter Menzel; p. 163 (bottom left): Daemmrich / The Image Works; p. 163 (bottom right): C. Pruess / The Image Works.

Realia Credits

p. 66: ad for Café Martinique. Used by permission of the Hotel Krystal Rosa; p. 118: Ad for Avis. Used by permission of Avis Rent A Car, Incorporated.